칸토의 연산

1부터 5까지의 수

머리말

"취학 전 우리 아이가 해야 할 수학은?"

아이를 키우는 부모님이라면 하나같이 우리 아이가 수학을 좋아하고 잘했으면 하는 바람일 것입니다. 수학에 대한 안 좋은 기억이 있으신 부모님들이라면 더더욱 걱정과 조바심 속에 초등학교 가기 훨씬 전부터 아이에게 여러 문제집을 풀게 하며 수학에 많은 시간을 사용합니다. 지금까지 아이가 푼 문제집을 쌓아 올리며 부모님 스스로가 뿌듯해 하기도 합니다.

그런데 아이가 수학을 잘하기 위해 초등학교 입학 전에 해야 할 가장 중요한 것은 무엇일까요?

수학에 관심을 갖고 수학에 재미를 느끼는 것입니다.

그러나 현실은 그렇지 않습니다. 아이들은 방대한 양의 반복된 문제를 풀며 가장 중요한 목표인 재미로부터 멀찌감치 떨어져 출발하게 됩니다. 첫 단추가 잘못 끼워지니 그 이후의 단추들도 제대로 끼워지기 어렵습니다. 아이가 처음 숫자를 보고 읽고 수를 셀 때의 희망찬 모습에서 어느덧 수 앞에만 서면 작아지는 아이의 모습으로 부모님의 새로운 걱정은 시작됩니다. 이를 바로잡으려 부모님께서 다시 힘을 내보려 하지만 너무 오래된 수학이 낯설고 멀게만 느껴집니다.

「칸토의 연산」은 아이에게는 아이의 시선에 맞게 문제의 형태와 양을 재미있게 구성하여 즐거운 시간이 될 수 있게 하였고, 부모님께는 아이를 가까이서 직접 지도할 수 있는 학습 가이드(칸토 쌤)를 제공하여 최고의 선생님이 될 수 있게 하였습니다.

수학을 잘하기 위해서는 한 문제를 끝까지 풀기 위한 노력과 끈기도 필요합니다. 하지만 수학을 잘하기 위해 지금 부모님께서 해야 할 일은 아이에게 수학에 대한 좋은 첫인상을 심어주는 것입니다. 문제 푸는 것을 어려워한다면 과감히 다음 기회로 넘기고 기다려주세요. 첫 만남이 나쁘지 않았던 우리 아이는 다시금 수학을 찾고 수학과 더 깊은 관계로 발전해 나갈 수 있을 거예요.

유아 연산 비법

"초등 입학 전 연산 딱 4가지만 알고 가요."

취학 전 우리 아이가 반드시 학습해야 할 연산 주제 4가지를 제시합니다.

수 세기(1~50)

[수 세기 방법 4가지]

① 앞으로 세기 1, 2, 3, 4, 5, ……
② 거꾸로 세기 10, 9, 8, 7, ……
③ 이어 세기 5, 6, 7, 8, 9, ……
④ 묶어 세기 2, 4, 6, 8, 10, ……
(뛰어 세기)

수를 세는 과정에는 덧셈과 뺄셈의 원리가 숨어 있어요. 실생활 소재(음식, 물건, 계단)와 수 세기 모형(주사위, 수직선, 계란판)을 이용하여 반복하여 연습해 주세요. 아이의 수·연산 감각을 발달시킬 수 있는 출발점입니다.

수 계열(1~50)

[50까지의 수 배열표]

1 큰 수 →, 10 큰 수 ↓, 10 작은 수 ↑, 1 작은 수 ←

1	2	3	4	5	6	7	8	9	10
11	12	13	14	15	16	17	18	19	20
21	22	23	24	25	26	27	28	29	30
31	32	33	34	35	36	37	38	39	40
41	42	43	44	45	46	47	48	49	50

50까지의 수 배열표를 관찰하며 수의 구성과 각 수들 간의 관계를 파악하고 50까지의 수를 익혀요. 수 배열표를 머릿속으로 그릴 수 있어야 해요.

[모으기] [가르기]

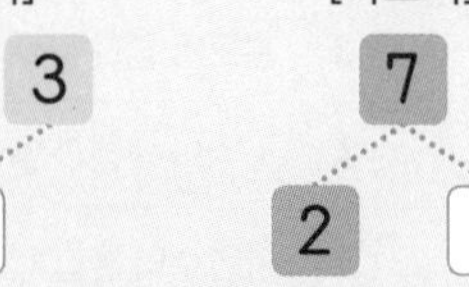

9까지의 수를 모으고 가르는 활동은 덧셈, 뺄셈의 기초이며 핵심 원리예요.
손가락뿐만 아니라 생활 속 다양한 구체물을 활용하여 반복적으로 연습해 보세요.

모으기·가르기(1~9)

[동적 상황의 덧셈·뺄셈]

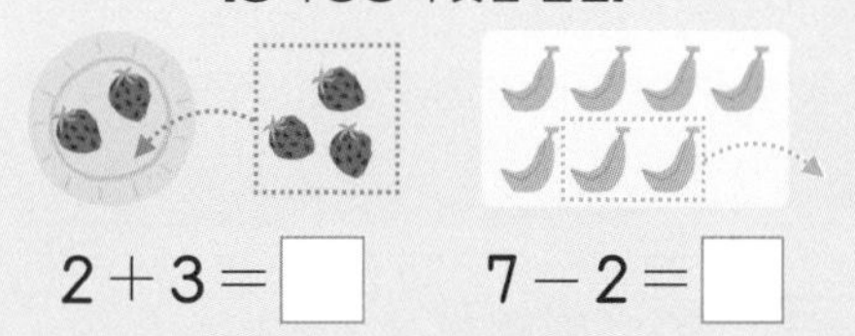

$2+3=\square$ $7-2=\square$

덧셈, 뺄셈은 동적인 상황(첨가, 제거)과 정적인 상황(합병, 비교) 2가지가 있어요. 이것을 잘 이해하면 덧셈·뺄셈 문장제 문제를 해결하는 데 큰 도움이 돼요.

덧셈·뺄셈(0~9)

단계별 구성

유아/3단계

단계	권	주제
5세	1	1부터 5까지의 수
	2	6부터 9까지의 수
	3	1부터 9까지의 수
	4	덧셈과 뺄셈의 기초
6세	1	0부터 10까지의 수
	2	10까지의 수에서 더하기·빼기 1
	3	20까지의 수에서 더하기·빼기 1, 10
	4	20까지의 수에서 더하기·빼기 1, 2, 10
7세	1	합이 9까지의 덧셈
	2	9까지의 뺄셈과 덧셈·뺄셈
	3	50까지의 수에서 더하기·빼기 1, 2, 10
	4	받아올림·내림 없는 (두 자리 수±한 자리 수)

칸토의 연산 시리즈

(9단계, 총 36권)

- 연산의 원리부터 재미있는 퍼즐형 문제까지 다루는 기본 난이도의 연산 교재
- 나선형 반복 학습과 확장 커리큘럼
- [칸토의 연산] ➡ [응용 연산]으로 이어지는 기본·심화 연산 학습 설계
- 단계별 4권, 9단계 총 36권 구성
- 한 단계 4개월 완성
- 학년별 교과서 진도와 맞춤 병행

초등/6단계

단계	권	주제
초1	1	덧셈구구
	2	뺄셈구구
	3	편리한 계산 전략
	4	100까지의 수, 받아올림·내림 없는 (두 자리 수±두 자리 수)
초2	1	받아올림·내림 있는 (두 자리 수±한 자리 수)
	2	받아올림·내림 있는 (두 자리 수±두 자리 수)
	3	곱셈의 기초와 곱셈구구(1)
	4	곱셈구구(2)
초3	1	받아올림·내림 있는 (세 자리 수±세 자리 수)
	2	나눗셈구구
	3	(세 자리 수×한 자리 수), (두 자리 수×두 자리 수)
	4	분수와 소수의 기초
초4	1	큰 수
	2	곱셈과 나눗셈
	3	분모가 같은 분수의 덧셈과 뺄셈
	4	소수의 덧셈과 뺄셈
초5	1	자연수의 혼합 계산
	2	약수와 배수, 약분과 통분
	3	분모가 다른 분수의 덧셈과 뺄셈
	4	분수의 곱셈, 소수의 곱셈
초6	1	분수의 나눗셈
	2	소수의 나눗셈
	3	비와 비율
	4	비례식과 비례배분

이 책의 구성과 특징 (칸토)

- 하루 2쪽, 매주 5일씩 4주 동안 완성하는 연산 프로그램이에요.
- 연령별 아이의 학습 눈높이와 학습 체력에 맞게 쉬운 난이도와 하루 10분 정도의 학습 분량으로 구성하였어요.
- 선생님과 같은 실력으로 아이를 지도할 수 있게 「칸토 쌤」 코너에 알찬 학습 가이드를 수록하였어요.

1 학습 안내 • 무엇을 공부할까요?

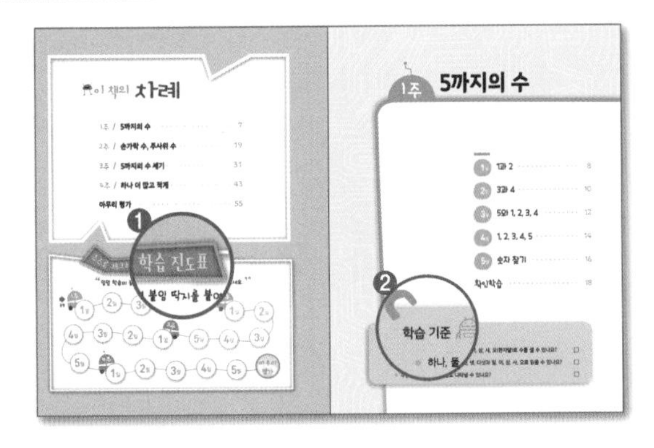

❶ 붙임 딱지를 붙여 학습 진도를 체크해요.

❷ 이번 주에 꼭 알아야 할 학습 기준을 체크해요.
공부 전에 간단히 살펴보고, 한 주 공부가 끝나면 반드시 확인해 보세요.

2 일일 학습 • 매주 5일씩 4주 동안 공부해요.

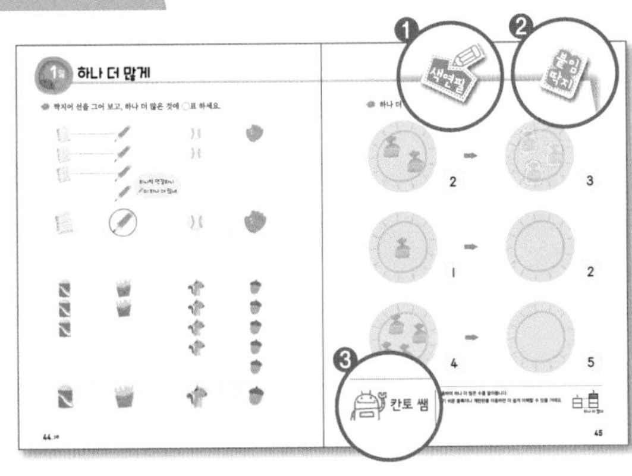

❶ 색연필을 사용하는 활동이에요.

❷ 붙임 딱지를 붙이는 활동이에요.

❸ 연산의 개념, 원리, 활용뿐만 아니라 아이의 학습 심리 상태를 파악할 수 있는 학습 가이드를 꼭 참고하세요.

3 확인 학습 • 이번주 배운 내용을 잘 알고 있나요?

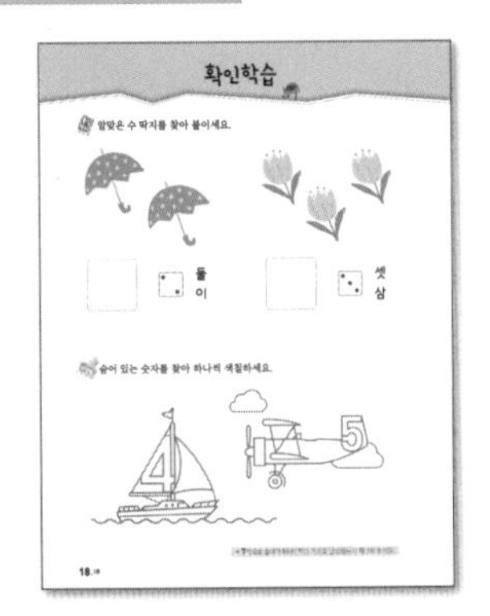

4 마무리 평가 • 4주 동안 배운 내용을 잘 알고 있나요?

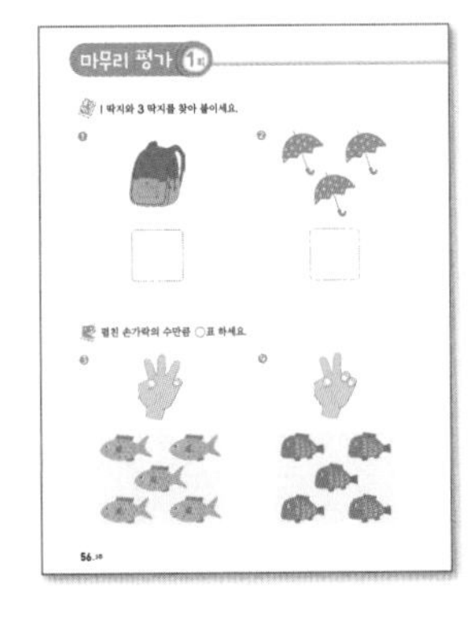

이 책의 차례

스스로 체크하는 학습 진도표
"일일 학습이 끝나면 붙임 딱지를 붙여 학습 진도를 표시해 보세요."
출발
1주
1일
2일
3일
4일
5일
2주
1일
2일
3일
4일
5일
3주
1일
2일
3일
4일
5일
4주
1일
2일
3일
4일
5일
마무리 평가

1주 1, 2, 3, 4, 5

학습 기준

- 하나, 둘, 셋, 넷, 다섯(우리말)과 일, 이, 삼, 사, 오(한자말)로 수를 셀 수 있나요? □
- 1, 2, 3, 4, 5를 보고 하나, 둘, 셋, 넷, 다섯과 일, 이, 삼, 사, 오로 읽을 수 있나요? □
- 수를 세어 1, 2, 3, 4, 5로 나타낼 수 있나요? □

1과 2

ㅣ 딱지를 찾아 붙이세요.

여기에도
붙여야 해!

2 딱지를 찾아 붙이세요.

칸토 쌤

수를 읽는 방법은 우리말과 한자말 2가지가 있어요.
"하나, 둘, 삼"과 같이 두 방법을 섞어서 말하는 아이들이 많은데 자연스럽게 말할 수 있도록 충분히 연습해 주세요.

우리말: 하나, 둘, 셋, 넷, 다섯
한자말: 일, 이, 삼, 사, 오
(一, 二, 三, 四, 五)

2일 3과 4

3 딱지를 찾아 붙이세요.

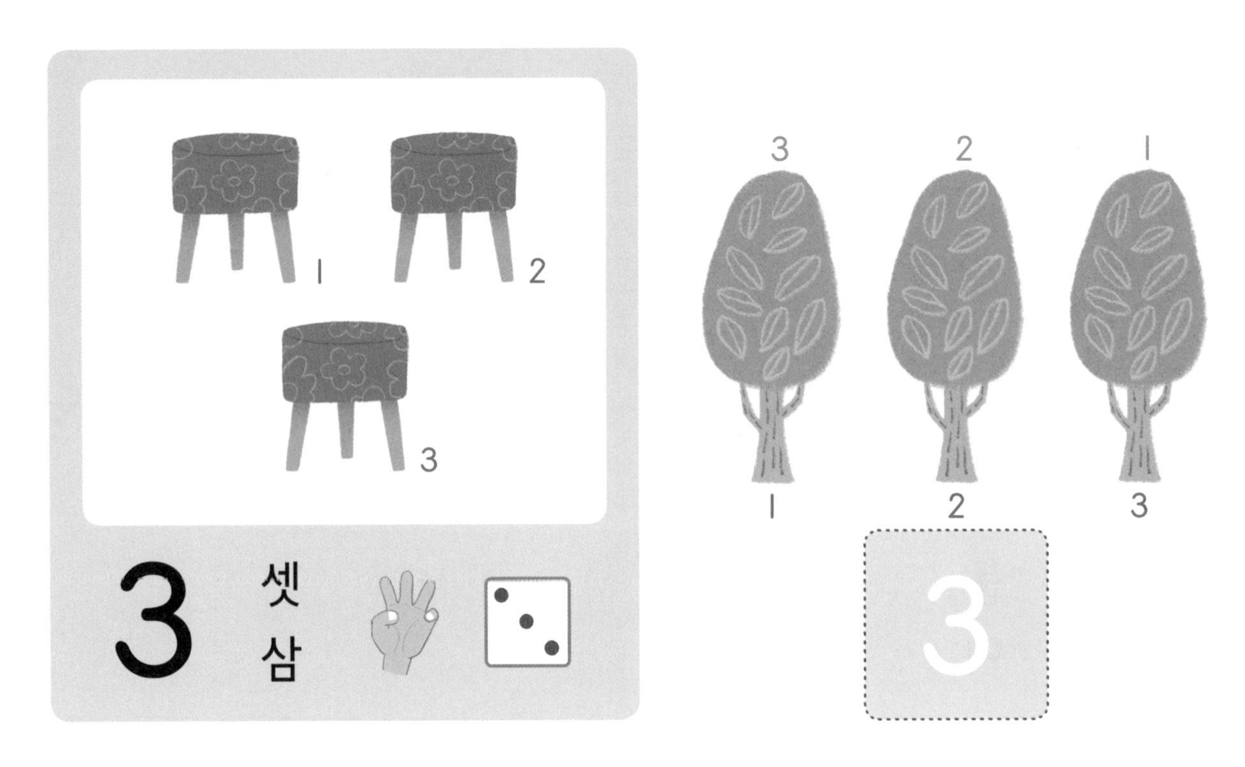

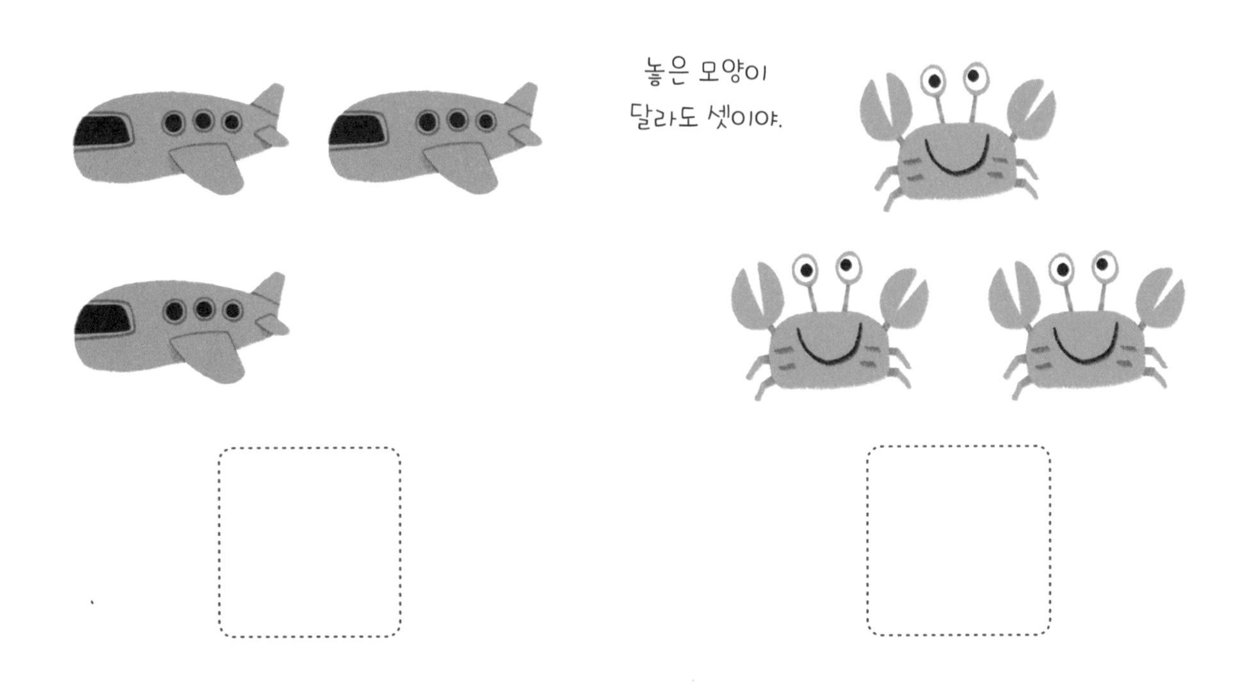

4 딱지를 찾아 붙이세요.

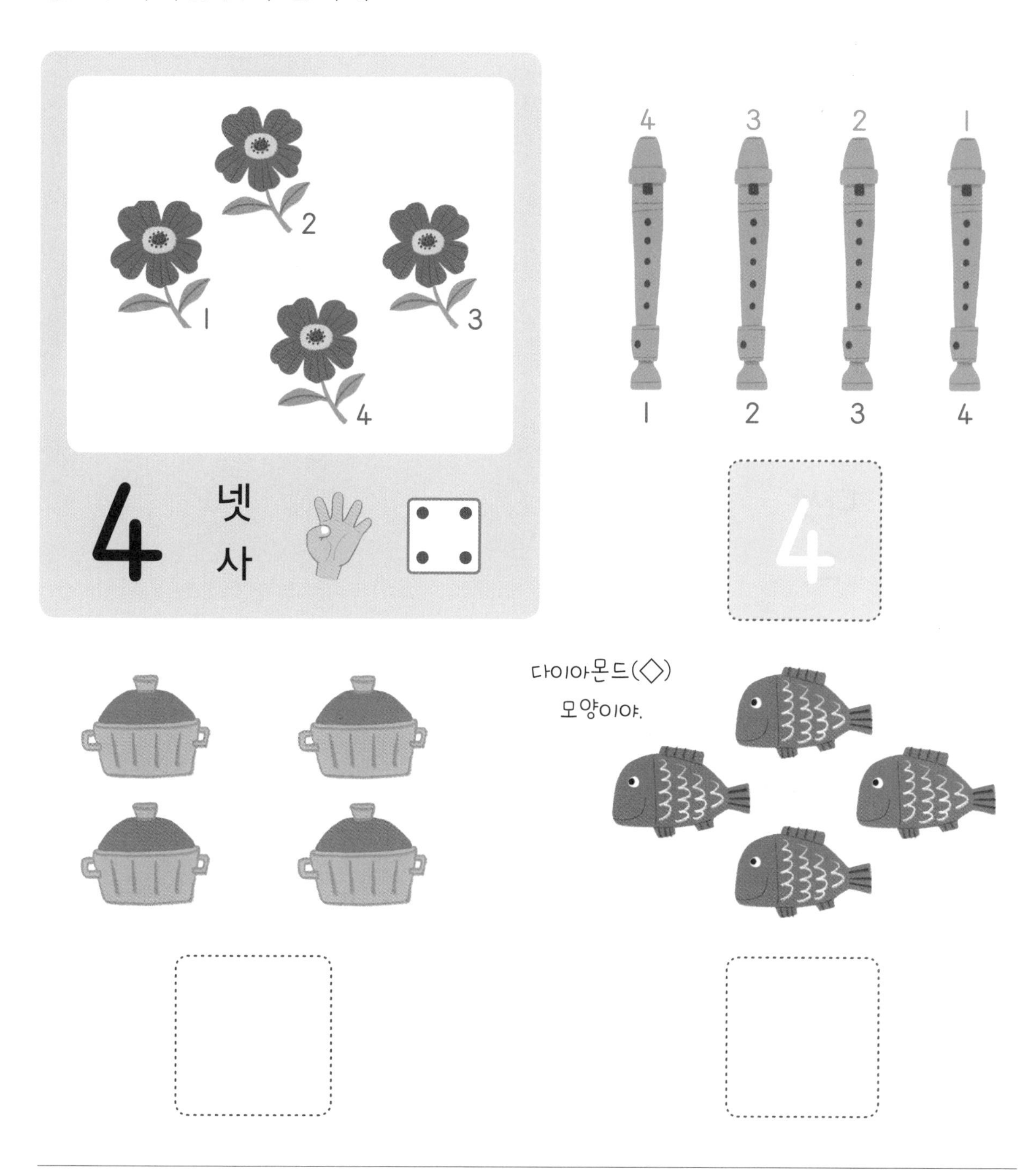

칸토 쌤

넷까지 셀 수 있지만 몇 개냐고 물어보면 대답하지 못하는 아이들이 많아요. 이것은 아이들이 맨 처음 수를 배울 때 수의 이름만 외우기 때문이에요. 그림을 하나씩 짚어가며 수 세기 연습을 반복해 주세요.

3일 5와 1, 2, 3, 4

5 딱지를 찾아 붙이세요.

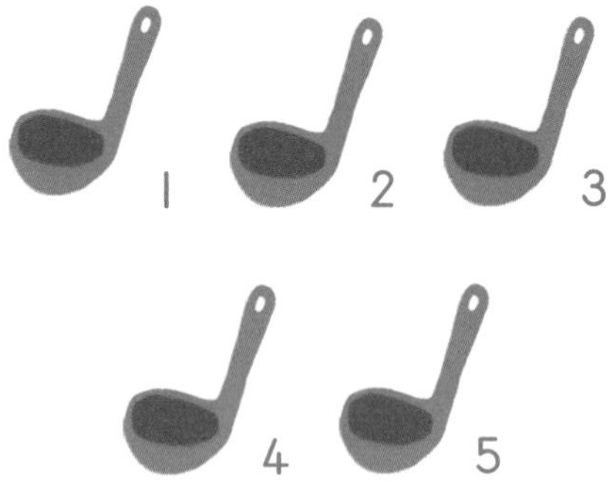

5 다섯 오

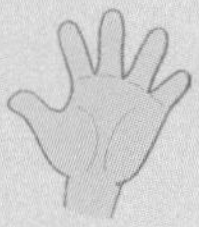

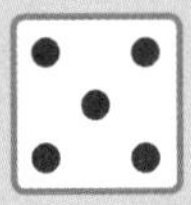

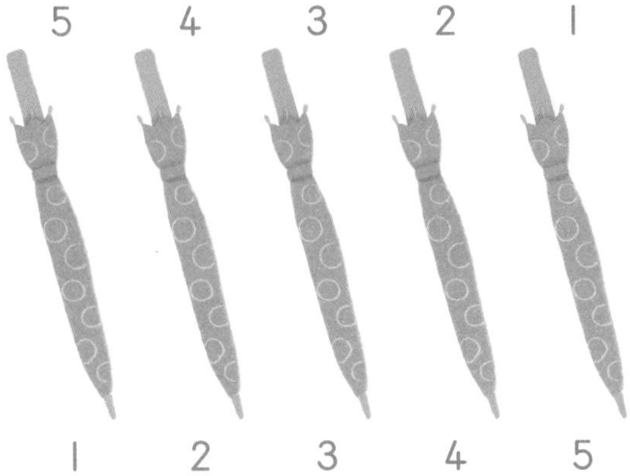

5

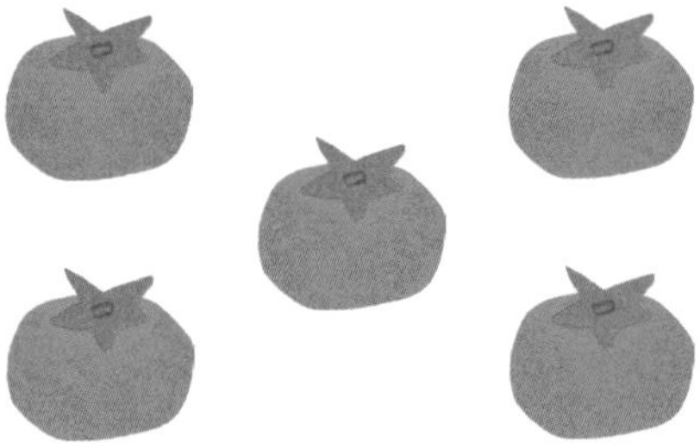

십자(+) 모양이야.

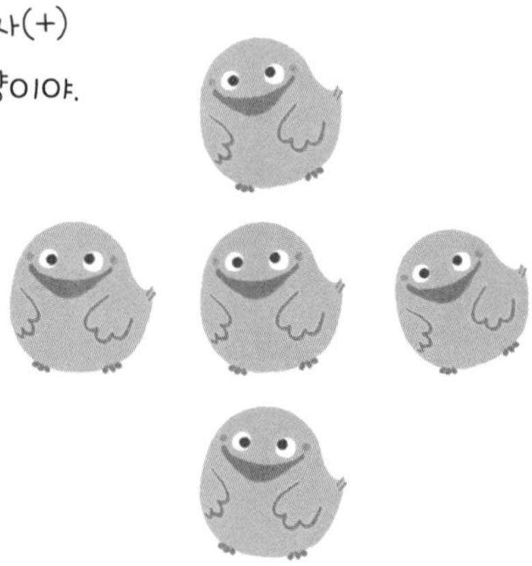

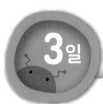

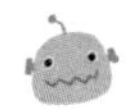

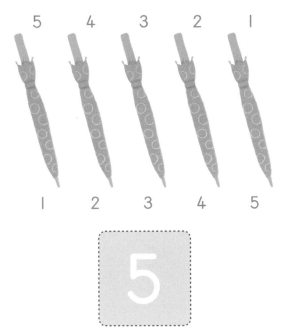

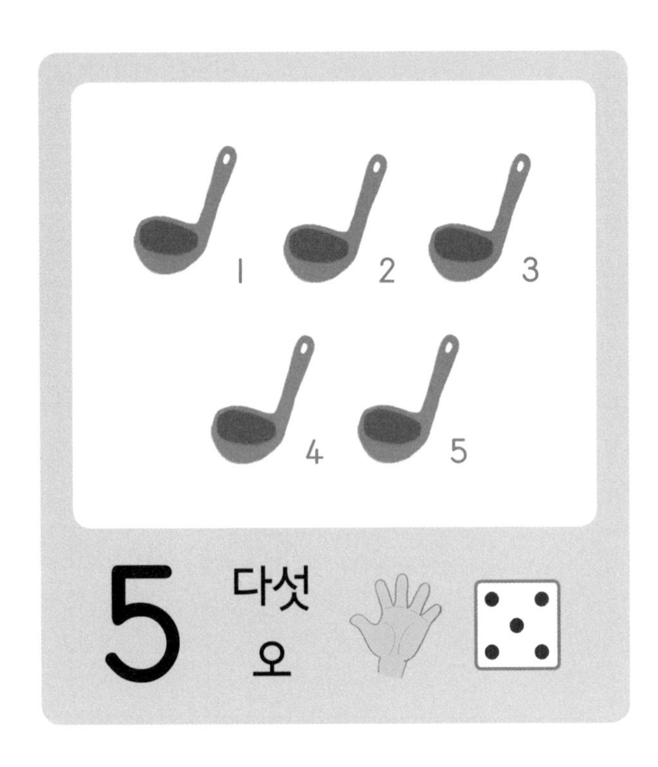

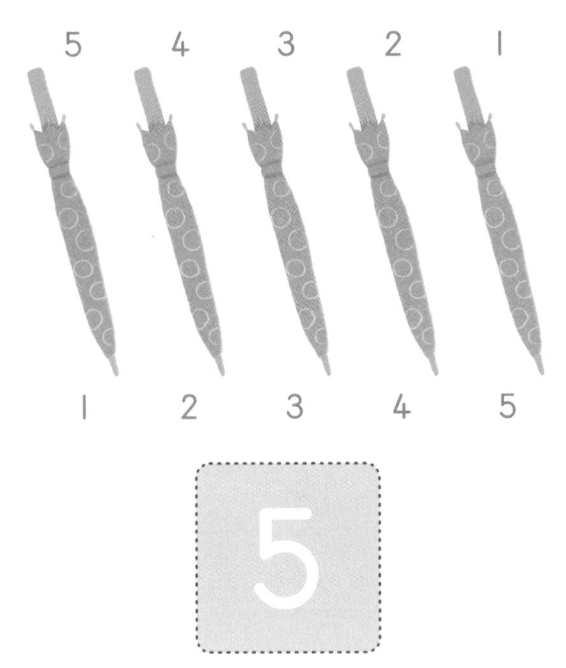

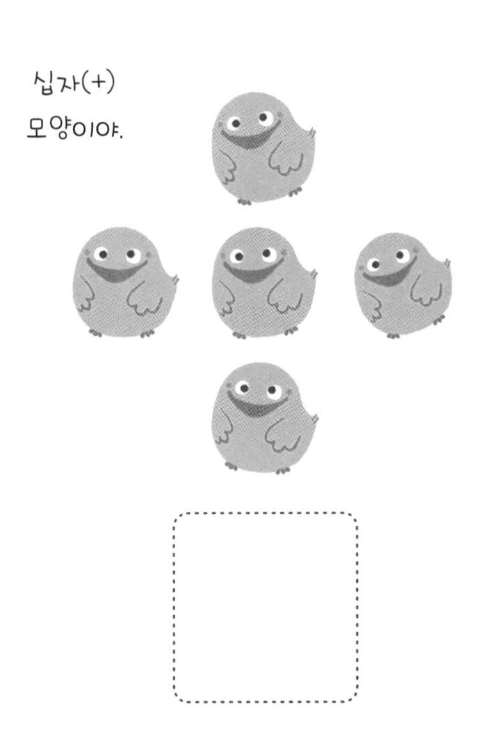

알맞은 수 딱지를 찾아 붙이세요.

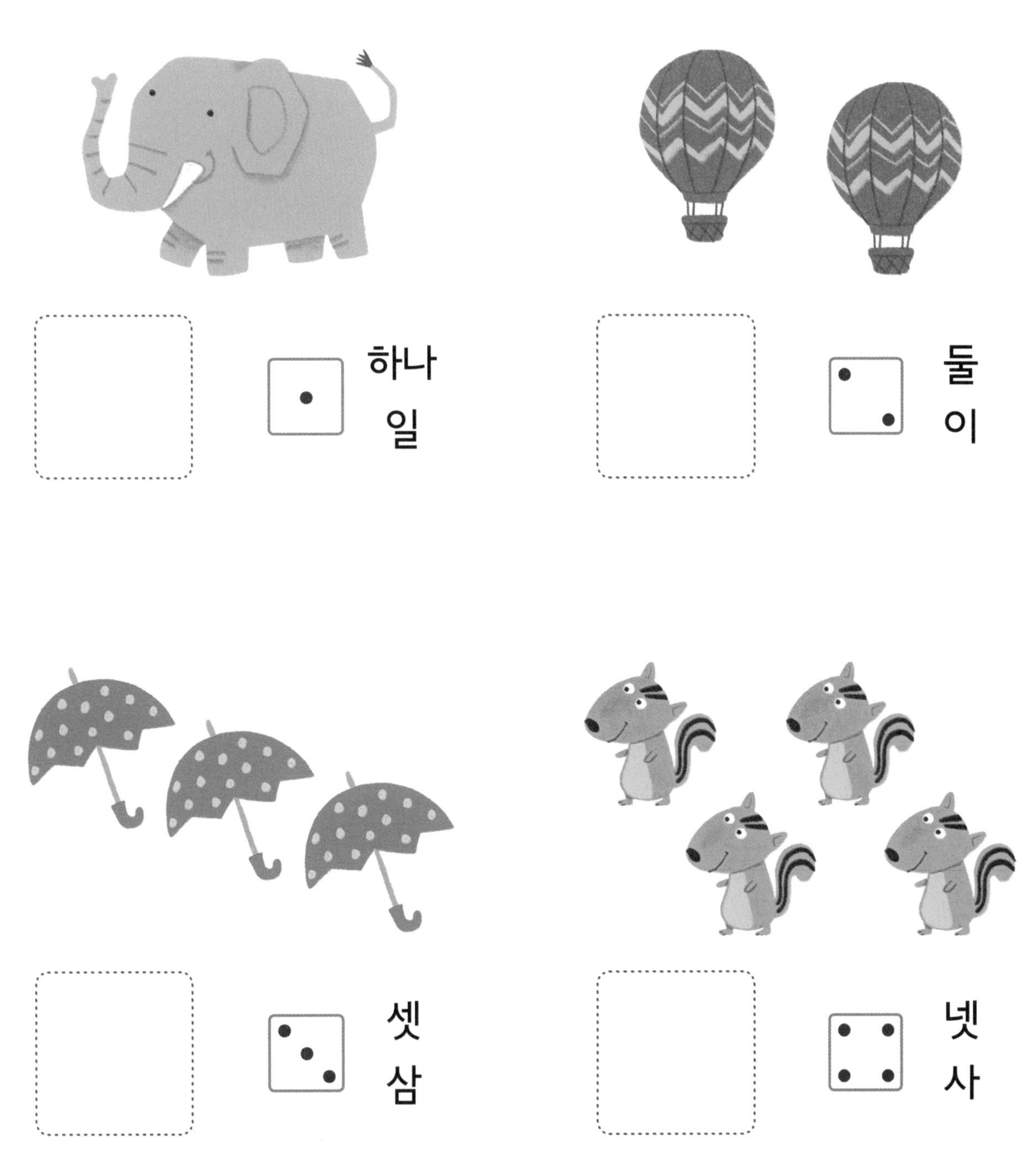

칸토 쌤

"돼지 하나가 잠을 자고 있어. 악어 둘이 수영 시합을 해." 등 이야기를
이용하여 재미있게 수 세기를 해 보세요.
2주 차에는 손가락을 이용한 수 세기를 더 자세히 공부한답니다.

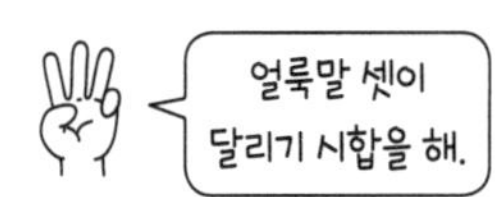

4일 1, 2, 3, 4, 5

똑같은 수 딱지를 붙이며 수를 읽어 보세요.

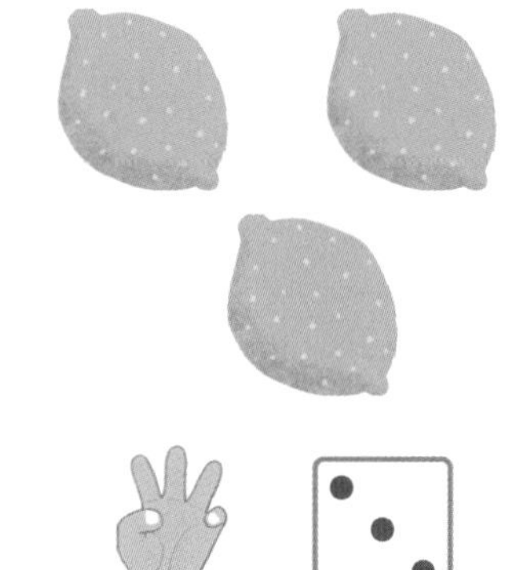

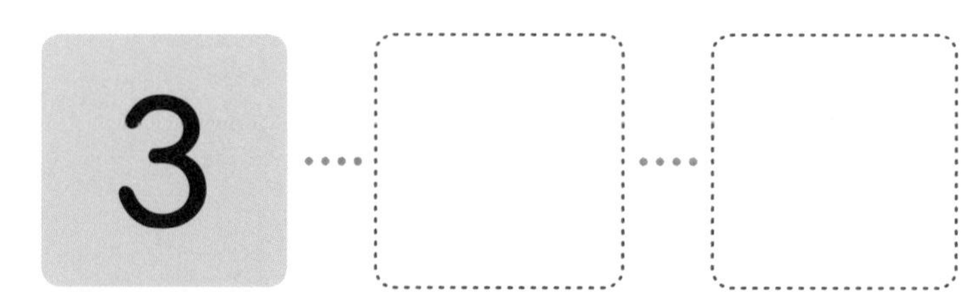

똑같은 수 딱지를 붙이며 수를 읽어 보세요.

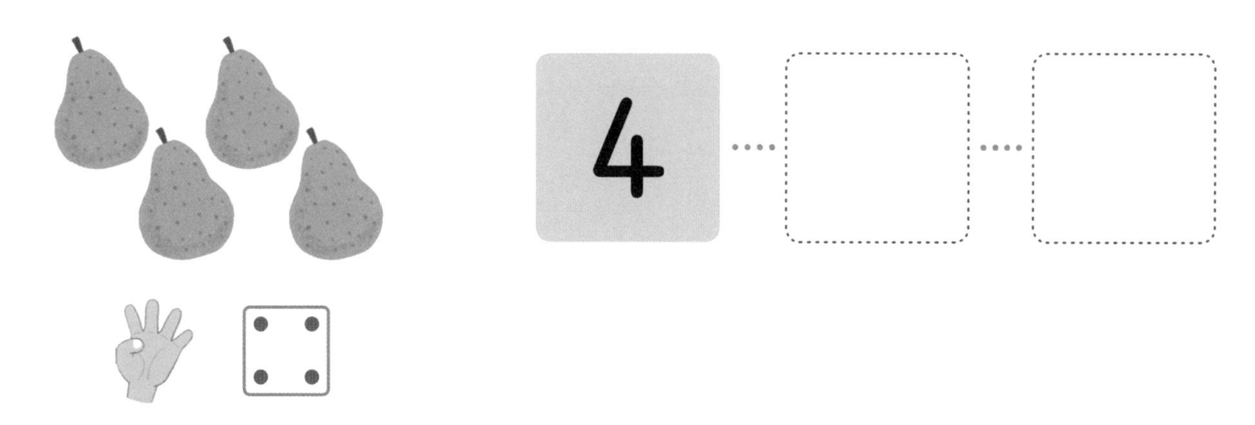

칸토 쌤

아이들은 수를 알기 전부터 오른쪽 같이 수를 비교하는 상황을 자주 접하게 돼요.
대부분의 아이들은 사탕이 더 많은 접시를 고른답니다.
이와 같이 양을 비교하는 상황에서 아이에게 수가 필요함을 느끼게 해 주세요.

5일 숫자 찾기

숨어 있는 숫자를 하나씩 찾아 색칠하세요.

우리집에도
숫자가 숨어 있어.
찾아볼래?

1, 2, 3, 4, 5를 찾아 ◯표 하세요.

칸토 쌤

아이와 함께 우리 주변에 숨어 있는 숫자를 찾아보세요.
의외로 우리 아이들은 숫자 모양에 호기심을 보이며 숫자의 이름도 잘 따라 말하고 기억한답니다.

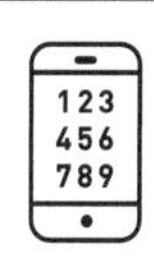

확인학습

알맞은 수 딱지를 찾아 붙이세요.

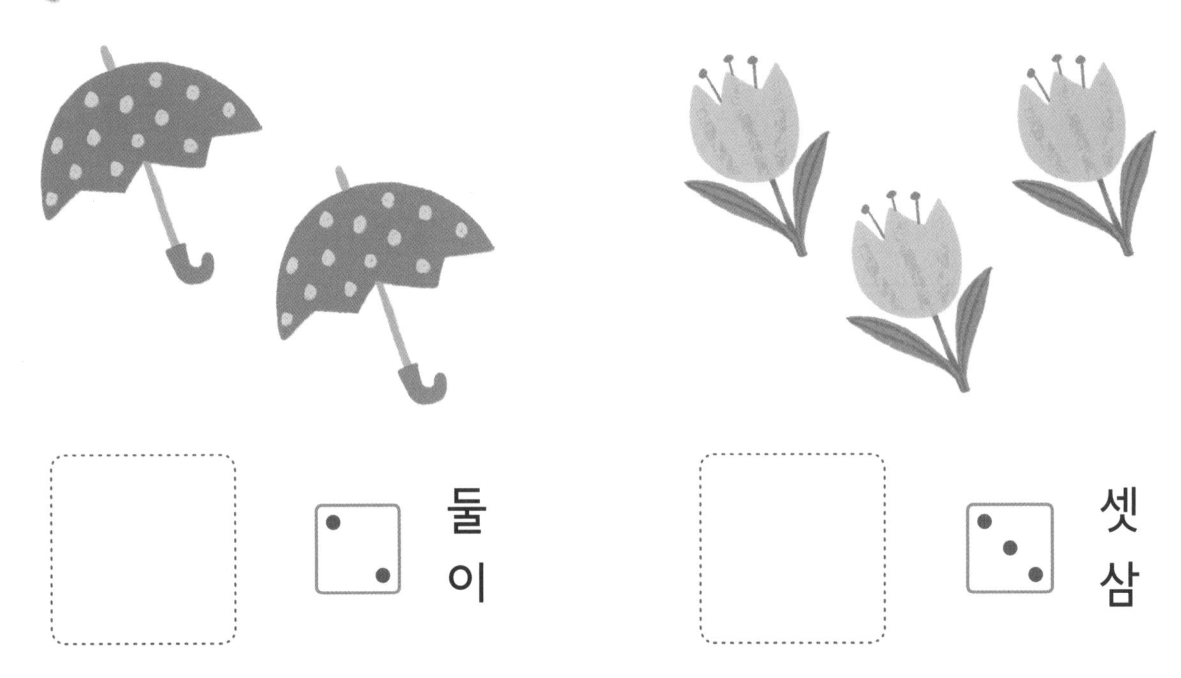

색연필 숨어 있는 숫자를 하나씩 찾아 색칠하세요.

➡ 7쪽으로 돌아가 1주 차 학습 기준을 달성했는지 체크해 보세요.

2주 손가락 수, 주사위 수

학습 기준

- 5까지의 손가락 수만큼 붙임 딱지를 붙이거나 그림에 ○, ×표 할 수 있나요? ☐
- 손가락의 수를 세어 1, 2, 3, 4, 5로 나타낼 수 있나요? ☐
- 주사위의 점의 수를 세어 1, 2, 3, 4, 5로 나타낼 수 있나요? ☐
- 손가락 수, 주사위 수, 숫자를 보고 서로 같은 수를 찾을 수 있나요? ☐

1일 손가락으로 세기(1)

펼친 손가락의 수만큼 딱지를 붙이세요.

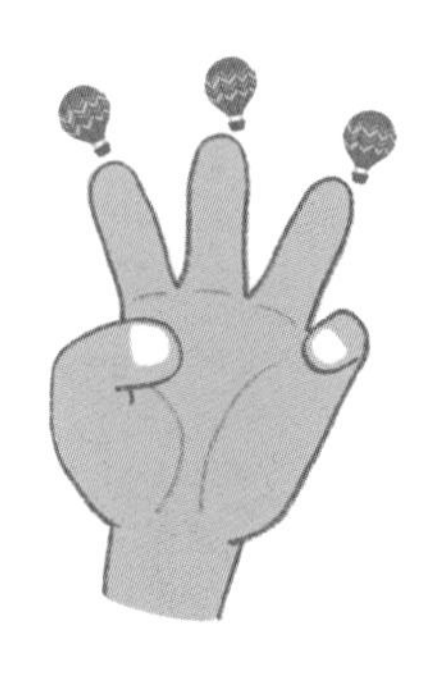

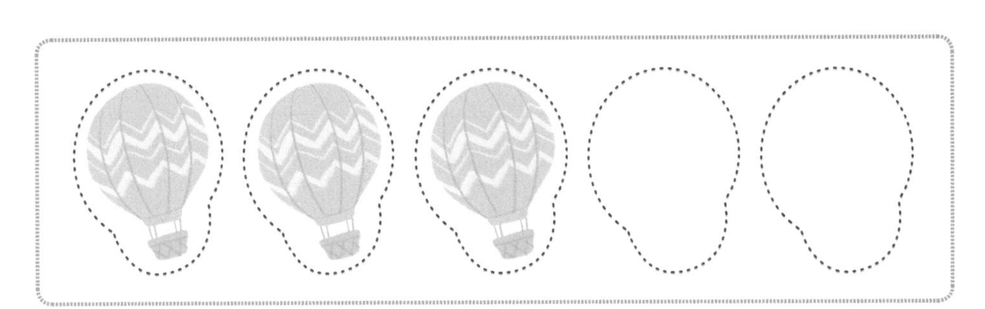

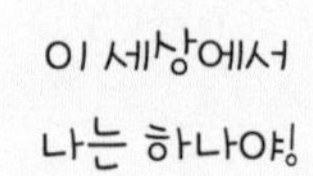

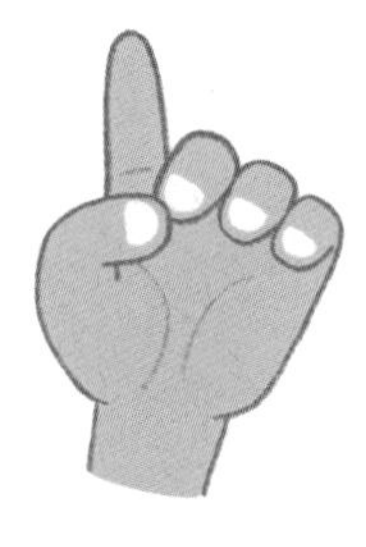

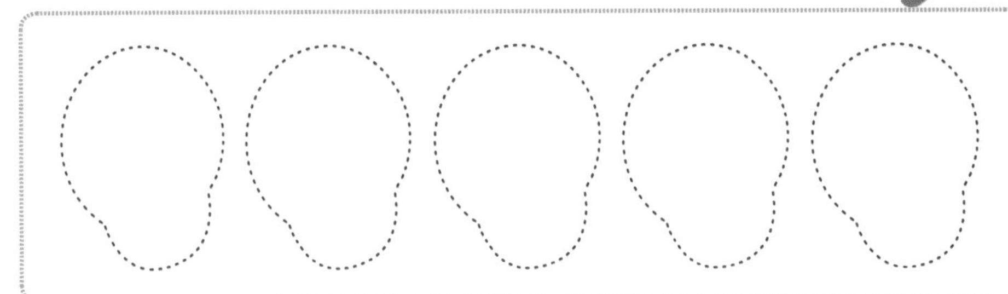

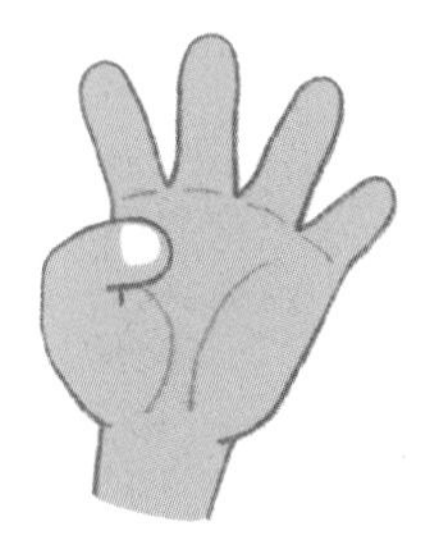

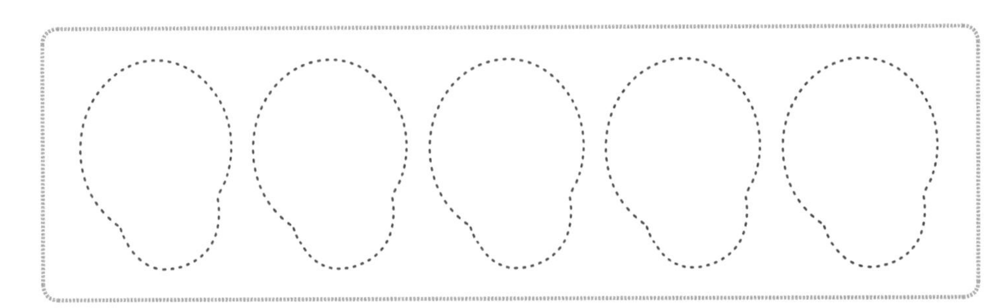

펼친 손가락의 수만큼 그림을 색칠하세요.

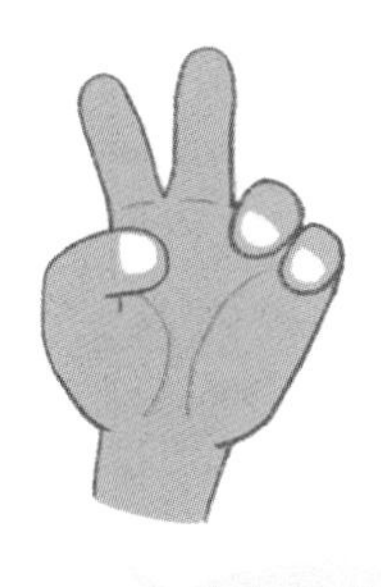

하나~둘!

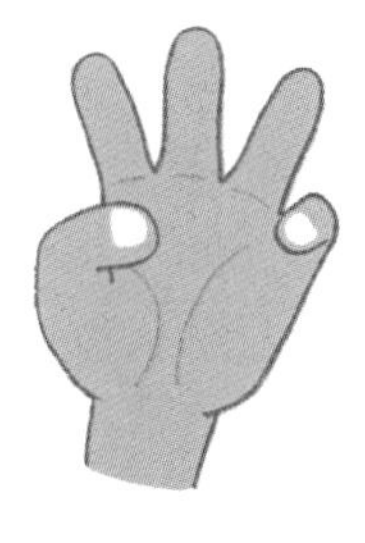

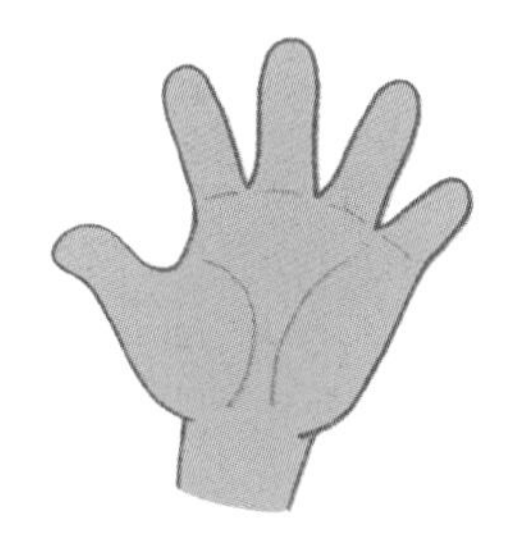

칸토 쌤 손가락의 수 만큼 붙임 딱지를 붙이는 활동은 하나에 하나씩 짝짓기 개념(일대일 대응)이 형성되어야 가능해요. 손가락 하나씩과 붙임 딱지를 짝지어 가며 붙일 수 있도록 도와주세요.

손가락으로 세기(2)

펼친 손가락의 수만큼 ○표 하세요.

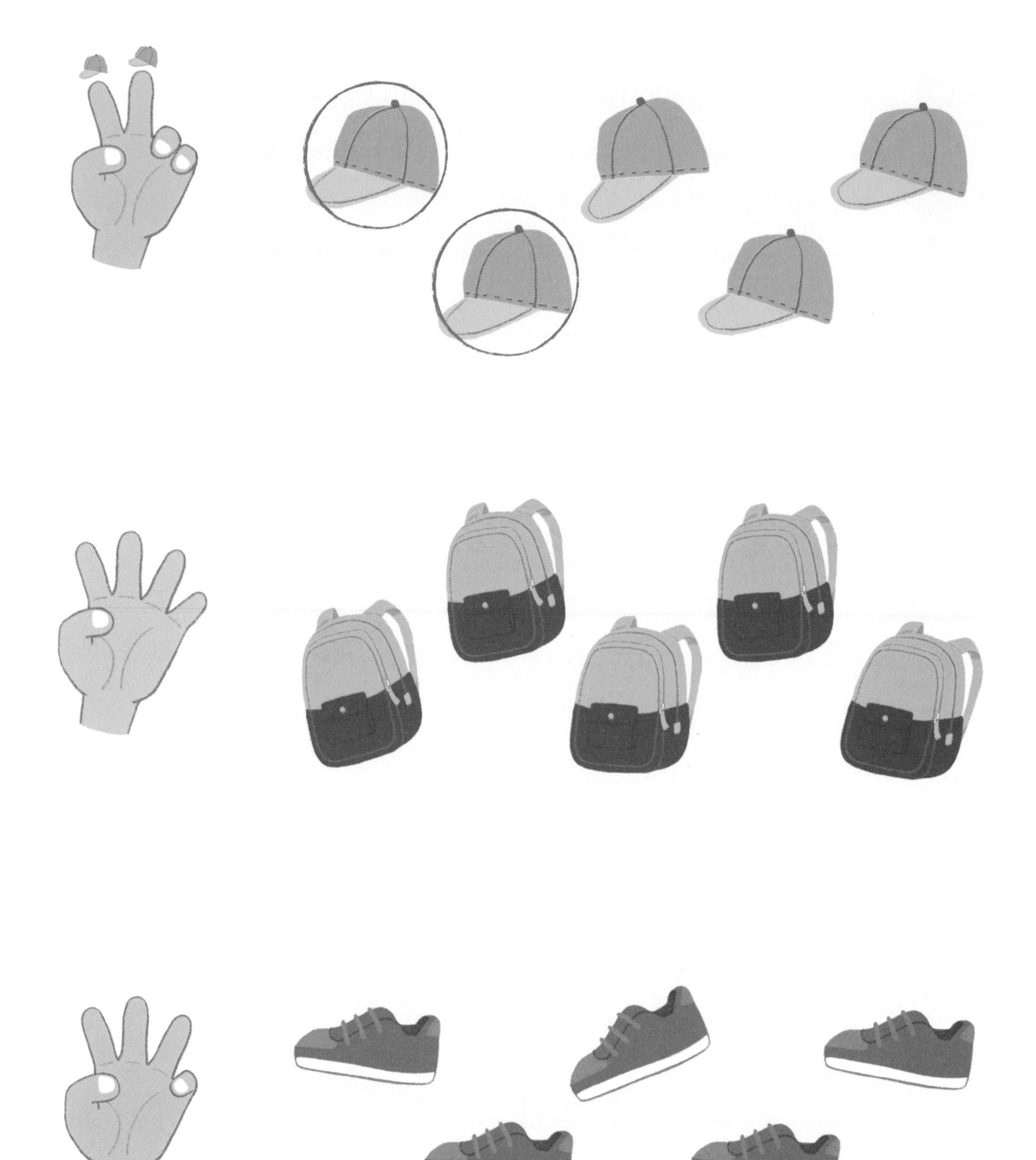

펼친 손가락의 수만큼 ╳표 하세요.

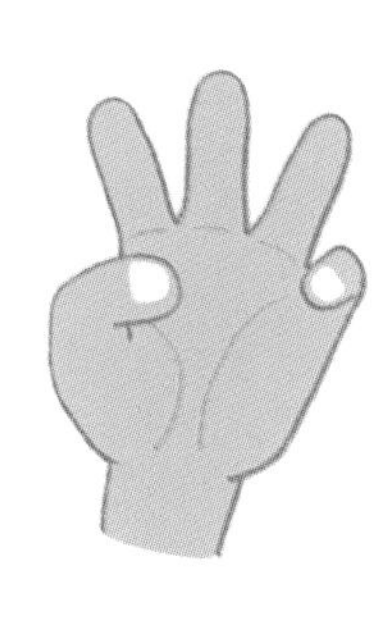

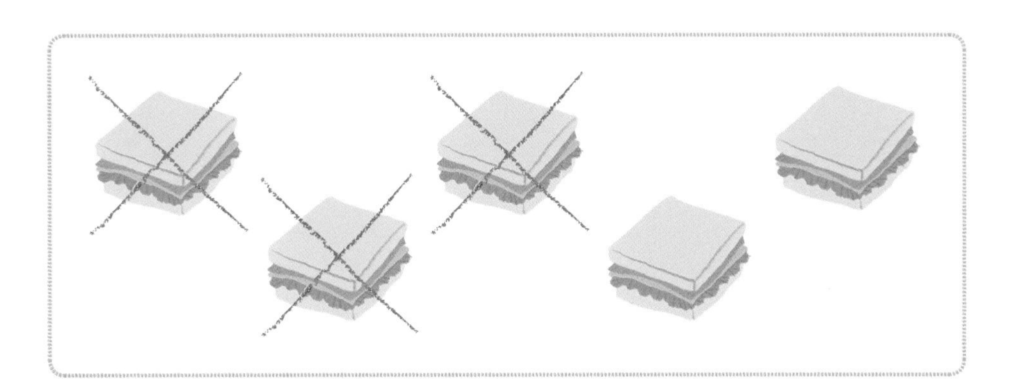

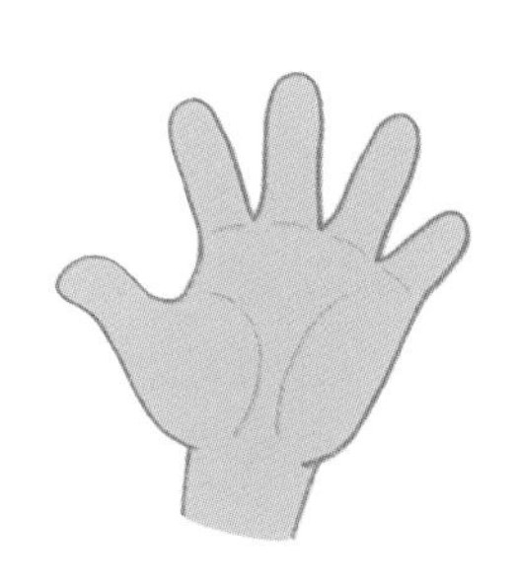

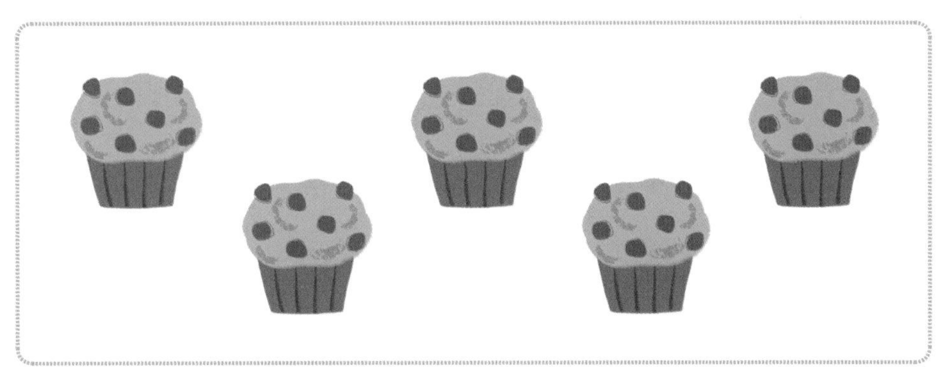

칸토 쌤

"하나, 둘, 셋"을 말하며 ○, ×표를 손가락과 하나씩 짝짓는 활동이에요.
어떤 아이는 "하나, 둘"을 말하고 ○를 1개만 표시할 수 있고, ○를 3개 표시할 수 있어요. 수의 이름과도 ○, ×표가 하나씩 짝지어야 한다는 것을 알려주세요.

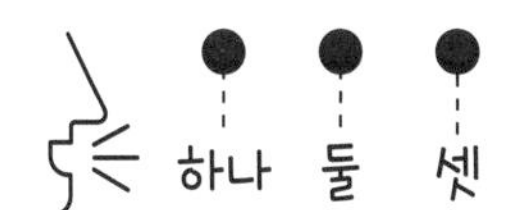

3일 손가락 수

손가락이 나타내는 수를 찾아 ◯표 하세요.

우리 가족은 셋이야.

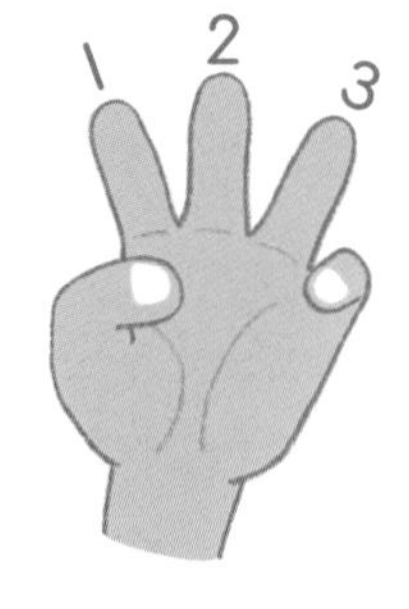

1 2 3 4 5

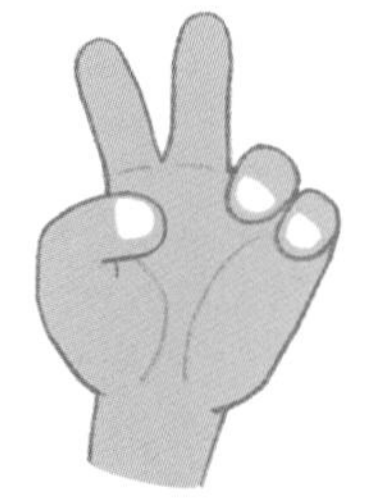

1 2 3 4 5

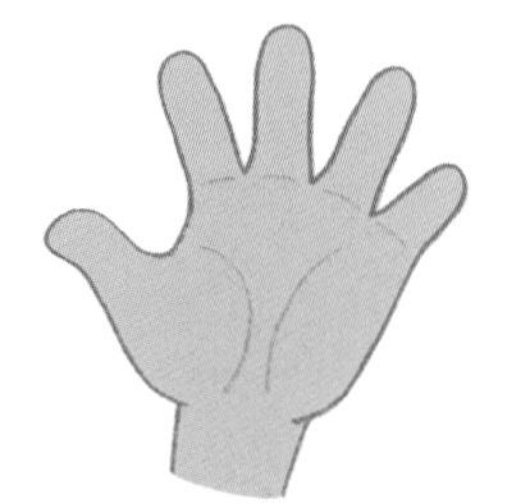

1 2 3 4 5

손가락이 나타내는 수 딱지를 찾아 붙이세요.

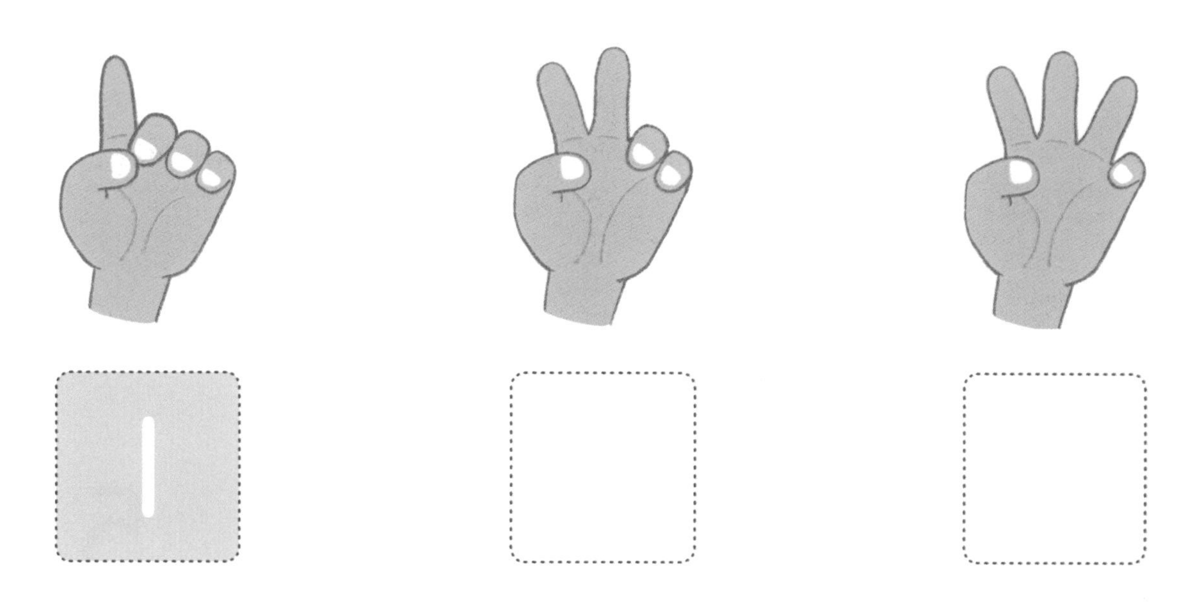

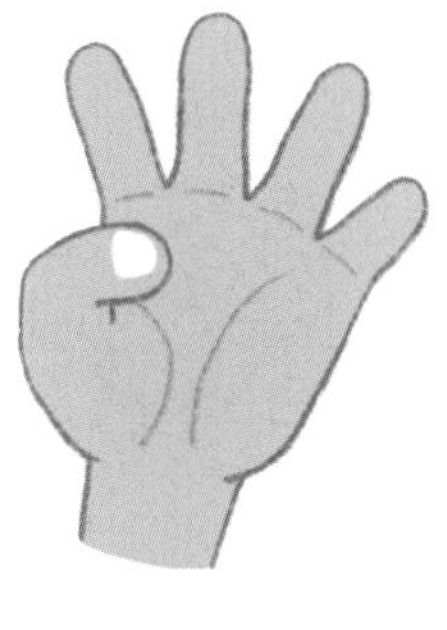

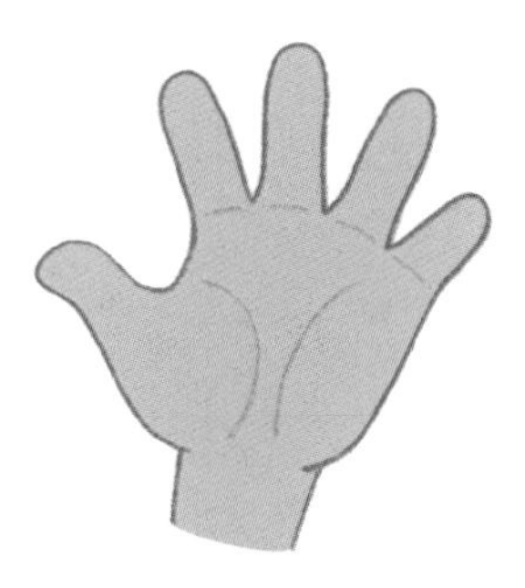

1, 2, 3, 4, 5

칸토 쌤

손가락 수를 숫자로 바꾸어 나타내는 활동이에요.
수 세기 활동은 3주 차에 다시 나오므로 손가락을 다양한 방법으로 펴가며 아이와 즐겁게 학습해 보세요.

2·둘·이

주사위 수

주사위가 나타내는 수를 찾아 ◯표 하세요.

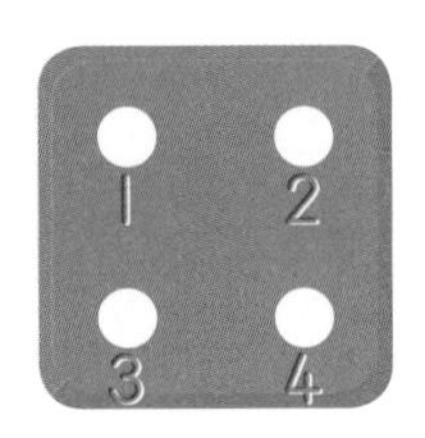

1 2 3 (4) 5

1 2 3 4 5

1 2 3 4 5

1 2 3 4 5

주사위가 나타내는 수 딱지를 찾아 붙이세요.

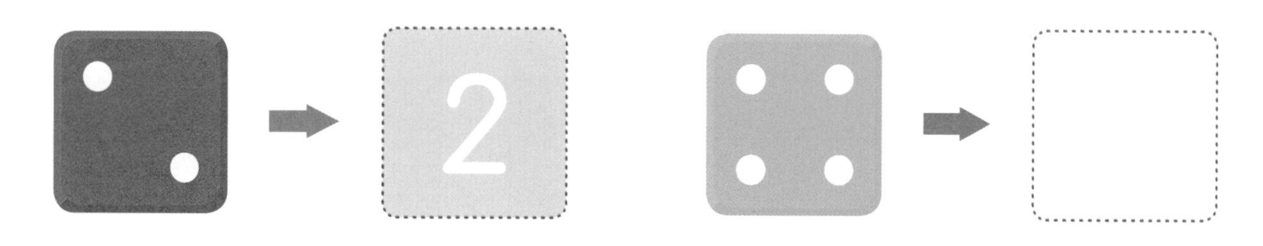

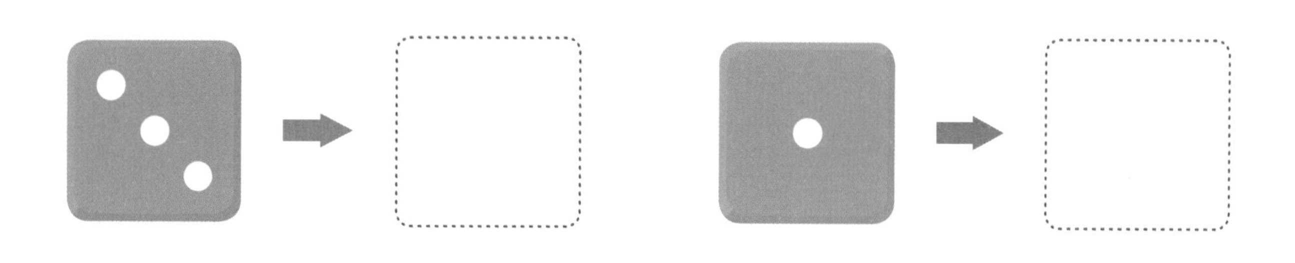

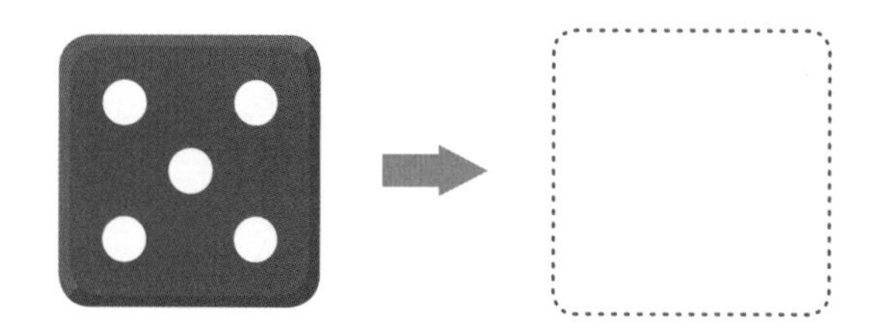

위에서 아래로,
왼쪽에서 오른쪽으로
차례로 세어 봐.

칸토 쌤

큰 주사위 모형을 이용하면 아이들과 주사위 수를 재미있게 익힐 수 있어요.
수 세기를 어려워하면 바둑돌로 점을 하나씩 짝지어 가며 수를 세어 보세요.

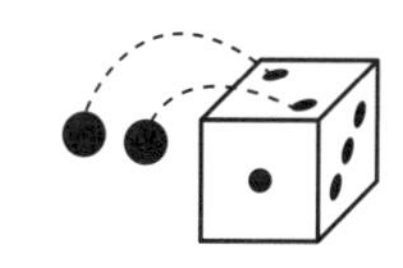

같은 수 찾기

같은 수를 찾아 색연필로 선을 이으세요.

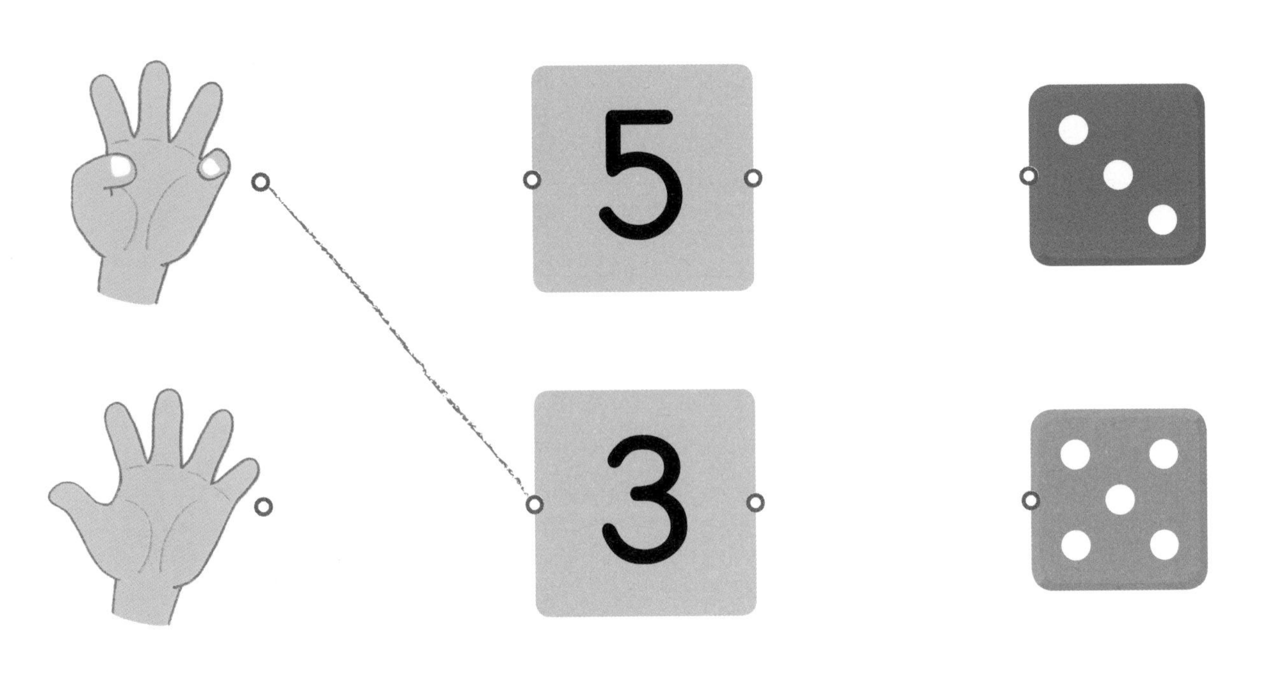

같은 수끼리 색연필로 선을 이으세요.

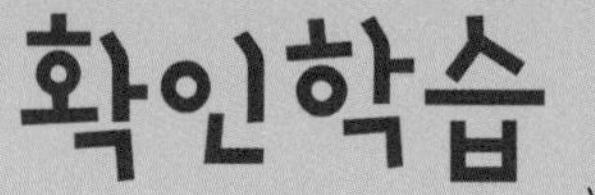

펼친 손가락의 수만큼 ◯표 하세요.

손가락과 주사위가 나타내는 수 딱지를 찾아 붙이세요.

➡ 19쪽으로 돌아가 2주 차 학습 기준을 달성했는지 체크해 보세요.

3주 5까지의 수 세기

학습 기준

- 5까지의 수를 세어 1, 2, 3, 4, 5로 나타낼 수 있나요? ☐
- 5까지의 수를 보고 수만큼 붙임 딱지를 붙이거나 그림에 ○, ×표 할 수 있나요? ☐
- 2종류가 섞인 그림을 보고 따로 셀 수 있나요? ☐

개수 찾기

세어 보고 알맞은 수를 찾아 ◯표 하세요.

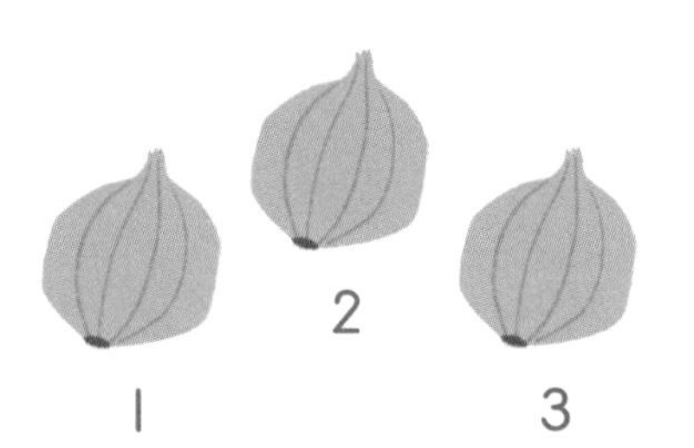

1 2 3 4 5

1 2 3 4 5

1 2 3 4 5

1 2 3 4 5

세어 보고 알맞은 수를 찾아 △표 하세요.

1 2 3 4 5

주사위 수 모양과 같아.

5 4 3 2 1

2 5 3 1 4

칸토 쌤

"공이 모두 몇 개야?"라고 물으면 아이가 대답을 잘 못할 수 있어요.
그림을 하나씩 짚어가며 "하나, 둘, 셋! 마지막으로 센 수가 셋이니까 세 개네."라고 말하고
마지막에 센 수가 전체 개수임을 알게 해 주세요.

하나, 둘, 셋!

2일 개수 세기

세어 보고 알맞은 수 딱지를 찾아 붙이세요.

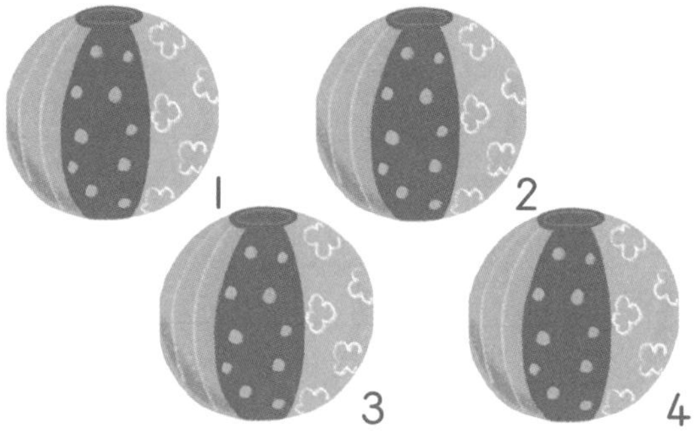
1
2
3
4

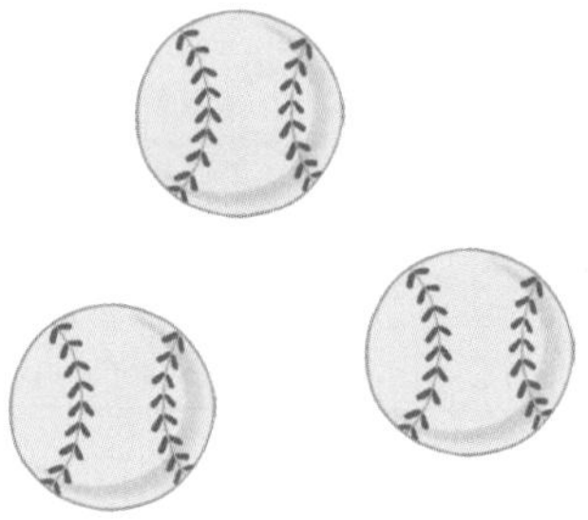

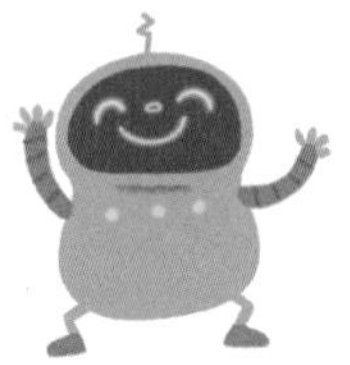
공이 크다고 수가
많은 것은 아니야.

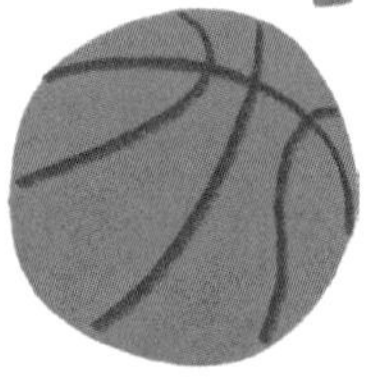

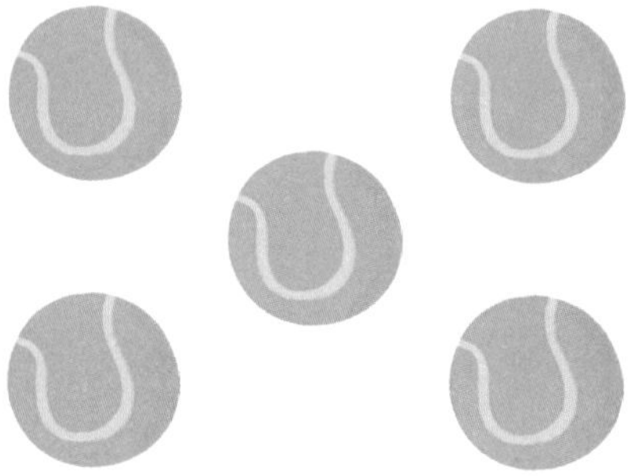

몇 개일까요? 알맞은 수 딱지를 찾아 붙이세요.

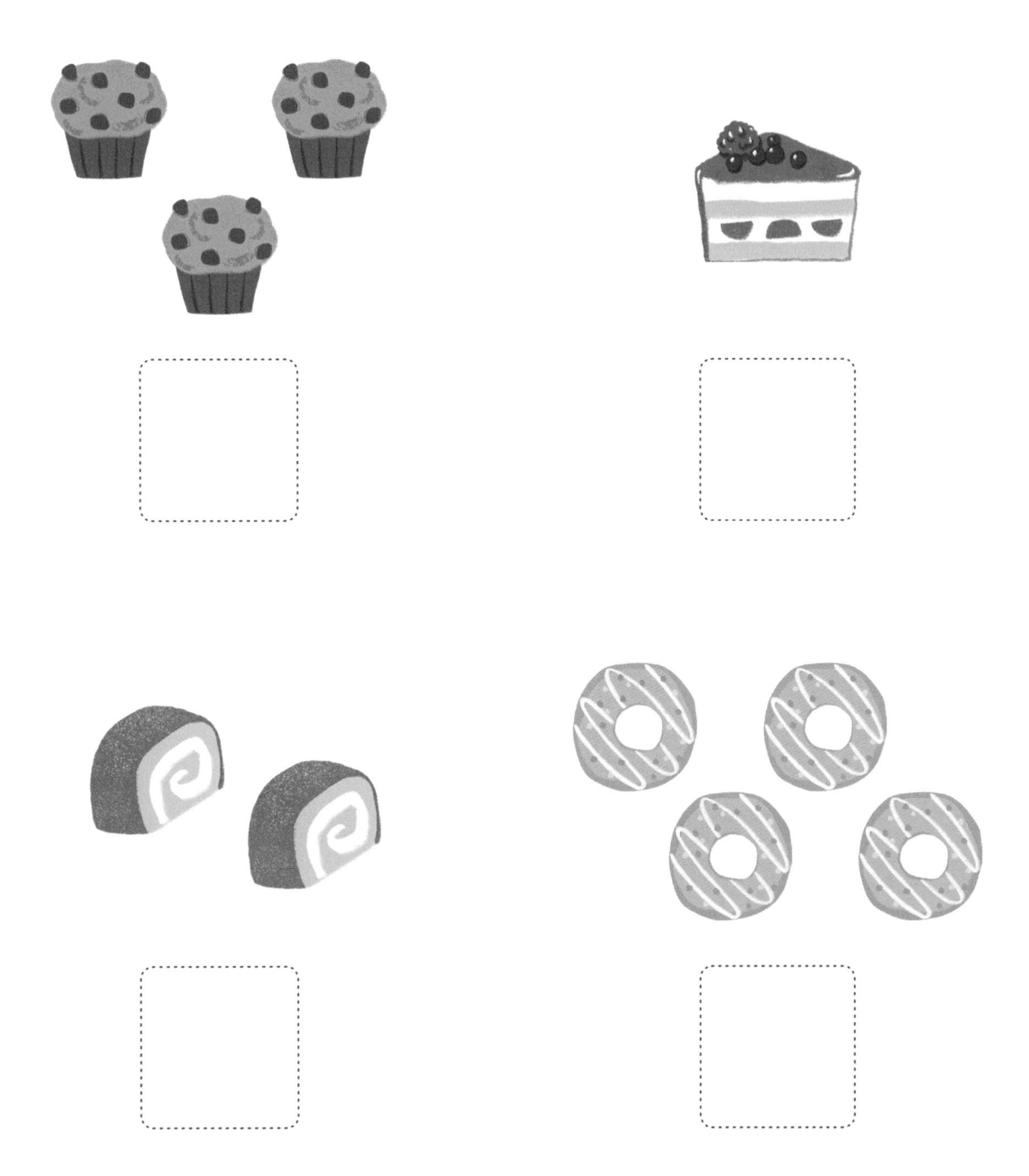

칸토 쌤

마지막에 센 수가 전체 개수임을 다양한 물건을 이용하여 연습해 보세요.
우리 아이도 머지않아 5까지의 수 정도는 직접 "하나, 둘 ……" 세지 않고
"몇!"이라고 바로 말할 수 있게 될 거예요.

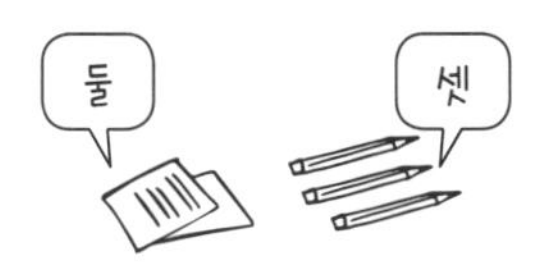

3일 수만큼(1)

수만큼 ◯표 하세요.

2 ·····

3 ·····

1 ·····

4 ·····

수만큼 ╳표 하세요.

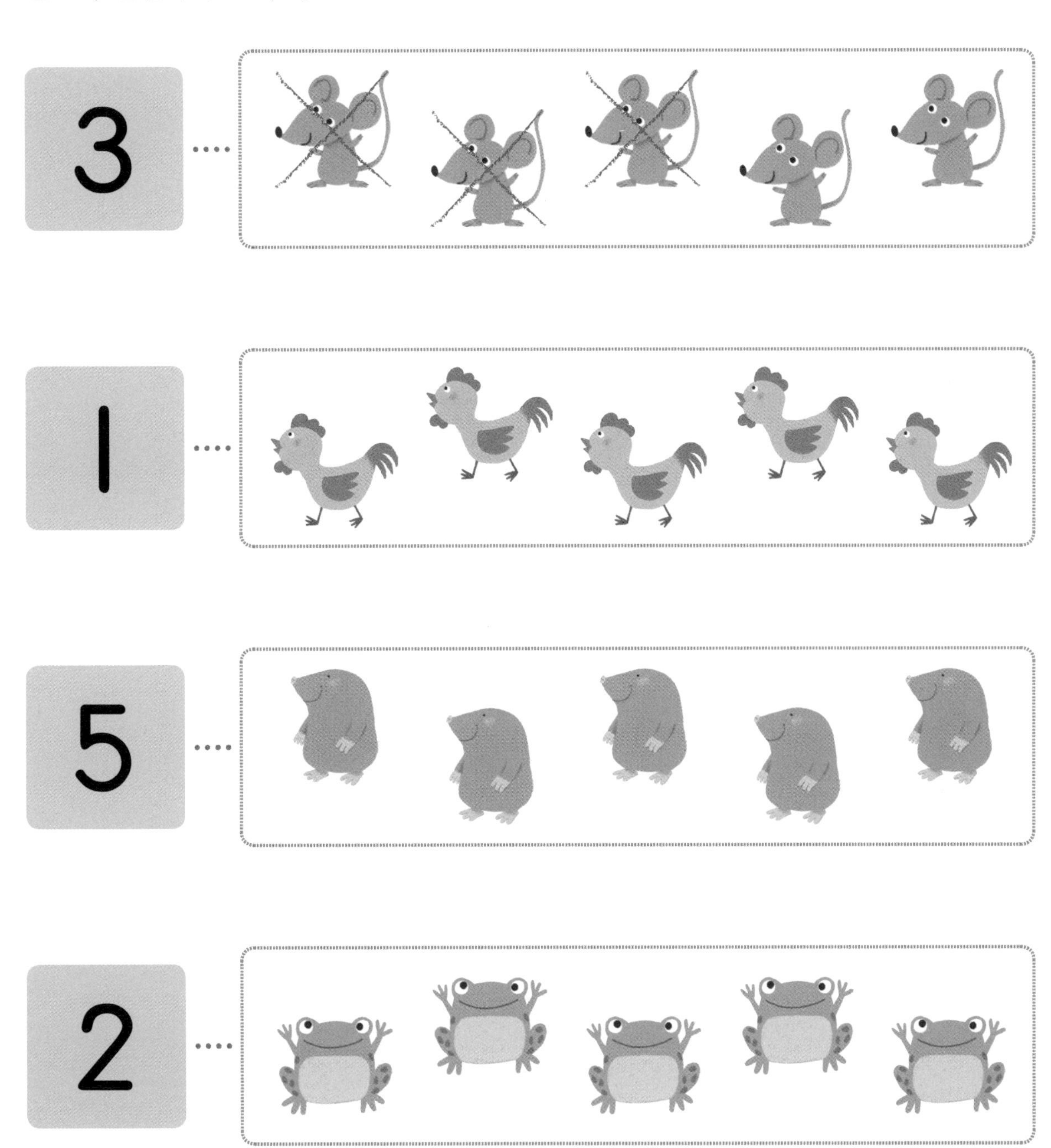

칸토 쌤

앞에서는 사물의 수를 세어 숫자로 나타내었는데 이번에는 반대로 숫자를 보고 사물의 개수로 나타내요. 수의 양을 머릿속으로 생각해야 해서 아이에게 어려울 수 있어요.

4일 수만큼(2)

수만큼 딱지를 붙이세요.

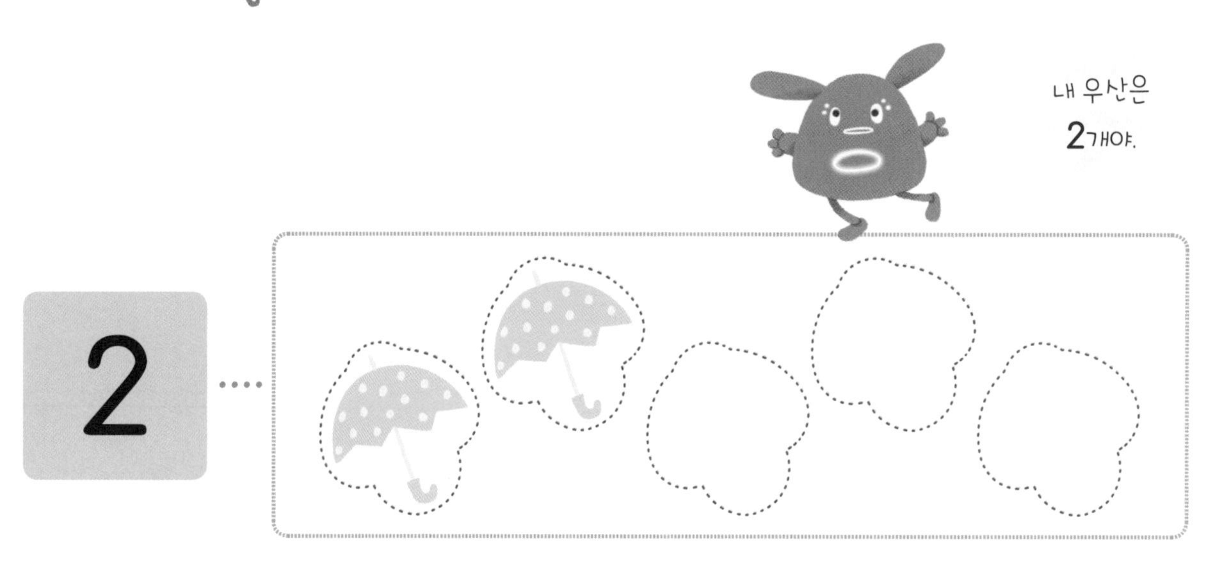

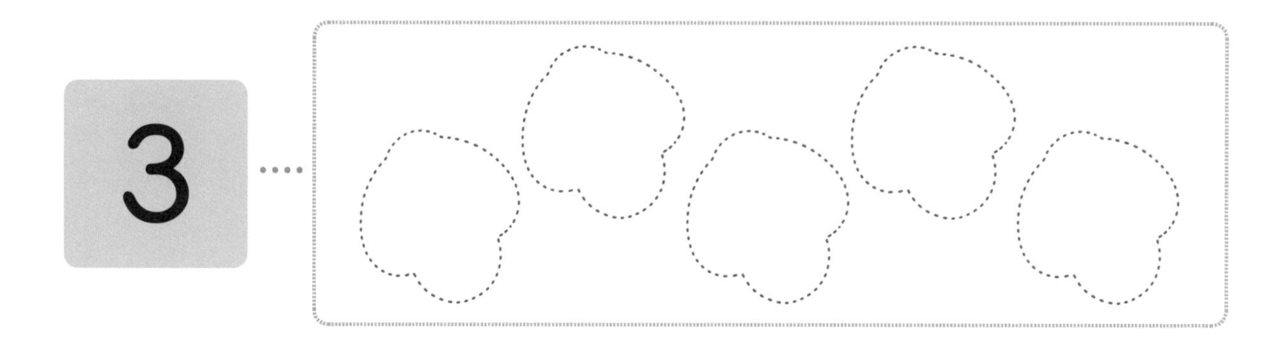

5 ····

수만큼 그림을 색칠하세요.

1 ····

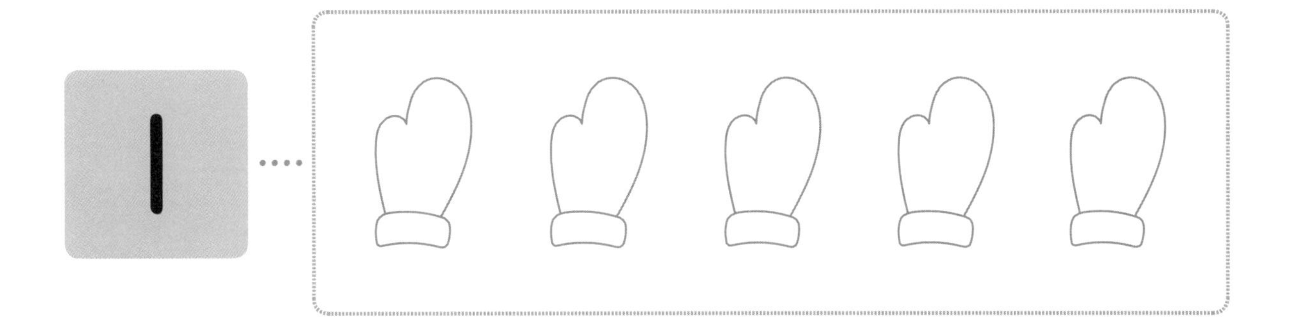

4 ····

2 ····

칸토 쌤

상자 안에 사탕 2개를 넣고 상자를 흔들어 보세요. 아이는 소리만 듣고도 재미있어 할 거예요. 이때 아이에게 상자 안에 사탕 몇 개가 들어 있는지 물어보세요. 아이의 수 감각뿐만 아니라 자신감도 키울 수 있습니다.

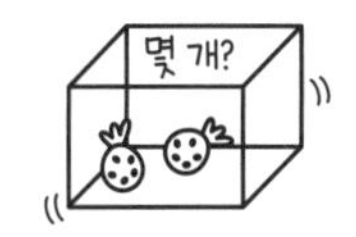

5일 따로 세기

따로 세어 보고, 알맞은 수 딱지를 찾아 붙이세요.

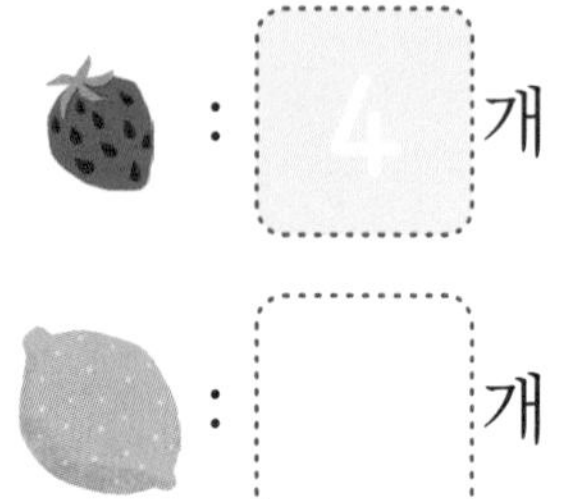

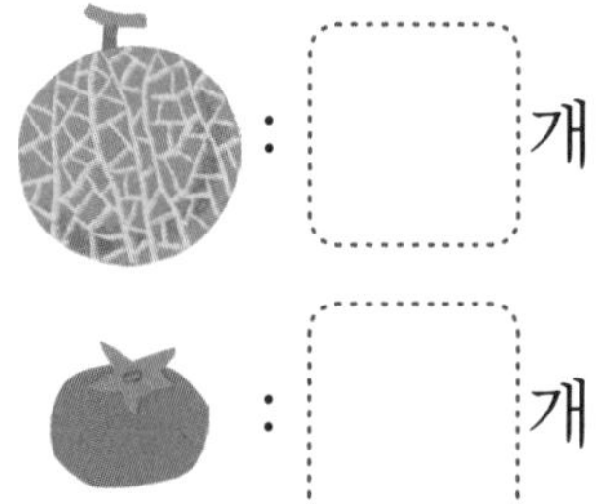

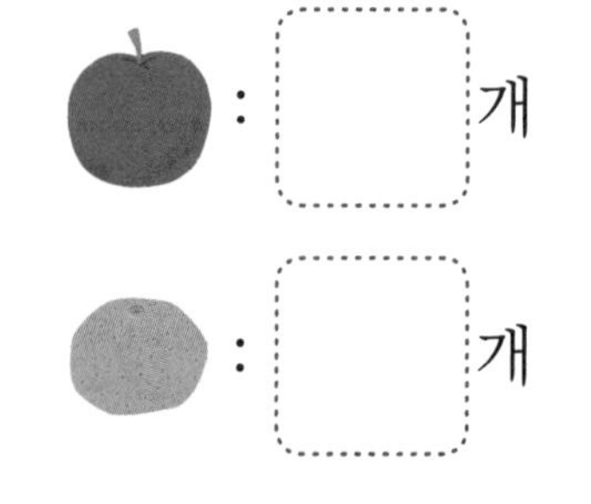

각각 몇 개일까요? 알맞은 수 딱지를 찾아 붙이세요.

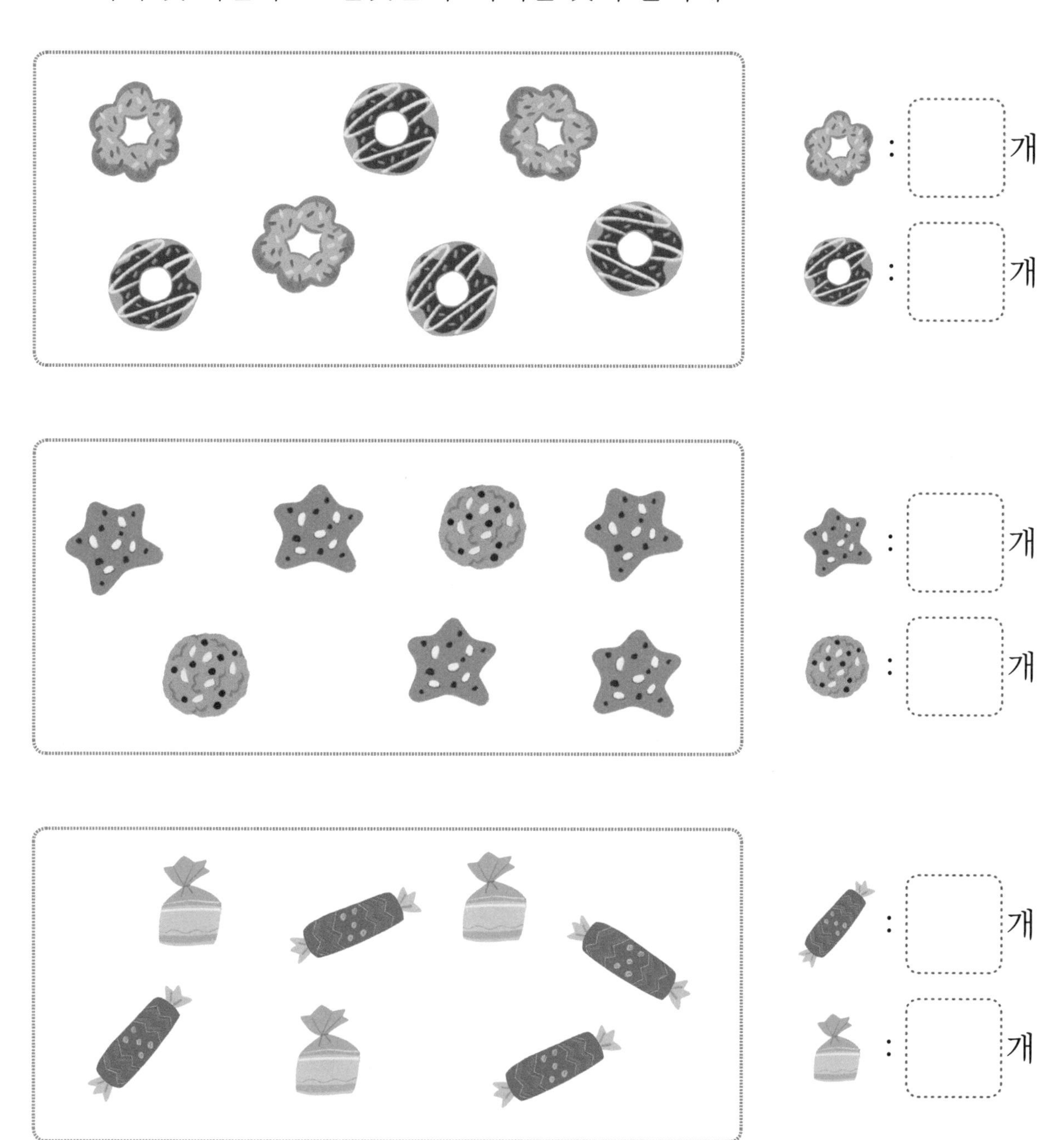

칸토 쌤

아이와 그림책을 볼 때 "여기에는 사람이 몇 명이나 있지? 동물은?" 등과 같이 그림 책에 나오는 여러 가지 그림의 개수를 물어보세요. 수 개념 뿐만 아니라 분류 개념도 학습할 수 있는 좋은 시간이 될 거예요.

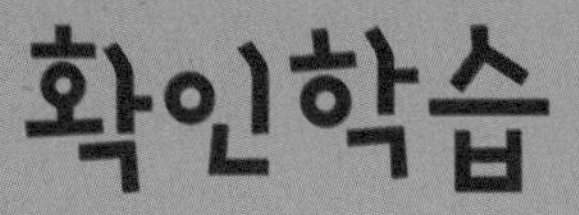

수만큼 ◯표 하세요.

2 ····

4 ····

각각 몇 개일까요? 알맞은 수 딱지를 찾아 붙이세요.

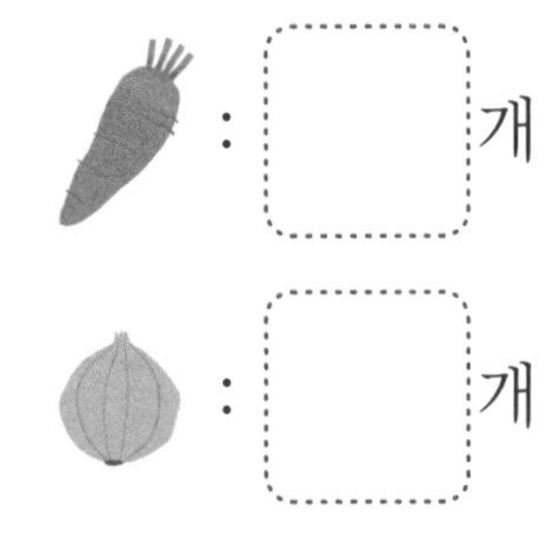

➡ 31쪽으로 돌아가 3주 차 학습 기준을 달성했는지 체크해 보세요.

4주 하나 더 많고 적게

학습 기준

- 5까지의 수에서 하나 더 많게 붙임 딱지를 붙일 수 있나요? ☐
- 5까지의 수에서 하나 더 많은 수를 알 수 있나요? ☐
- 5까지의 수에서 하나 더 적게 붙임 딱지를 붙일 수 있나요? ☐
- 5까지의 수에서 하나 더 적은 수를 알 수 있나요? ☐

하나 더 많게

짝지어 선을 그어 보고, 하나 더 많은 것에 ◯표 하세요.

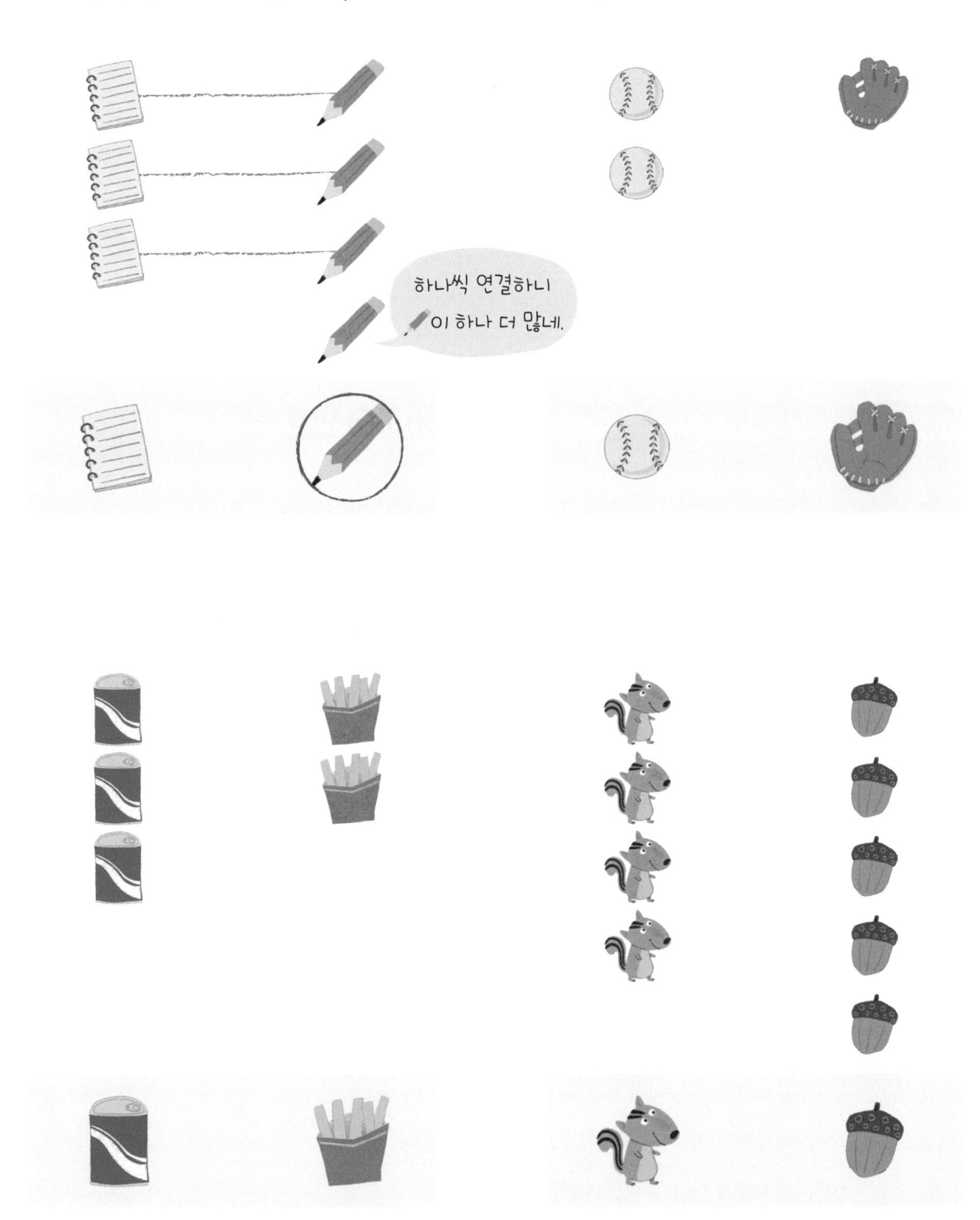

하나 더 많게 딱지를 붙이세요.

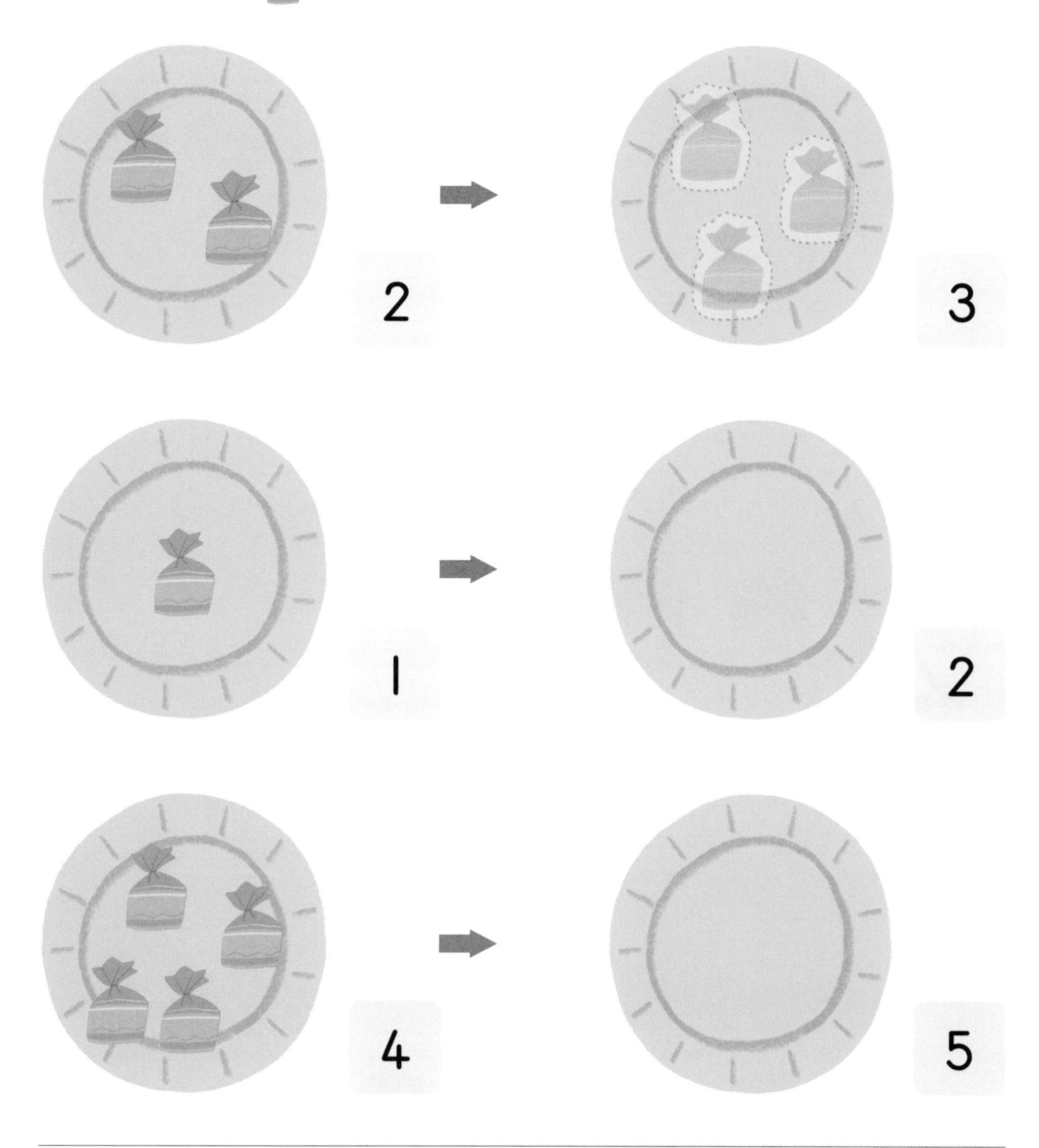

칸토 쌤

하나씩 짝짓기를 이용하여 하나 더 많은 수를 알아봅니다.
높이, 길이를 비교하기 쉬운 블록이나 계란판을 이용하면 더 쉽게 이해할 수 있을 거예요.

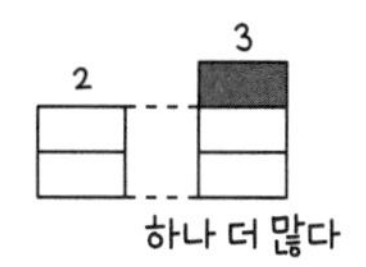

2일 하나 더 많은 수

딱지를 하나 더 붙이고, 하나 더 많은 수 딱지를 찾아 붙이세요.

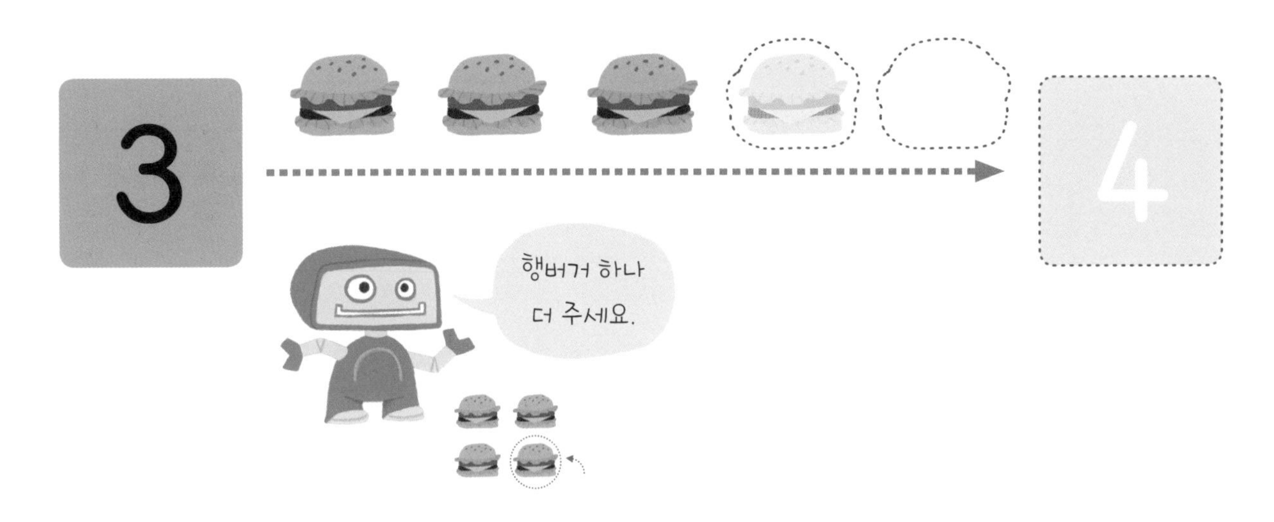

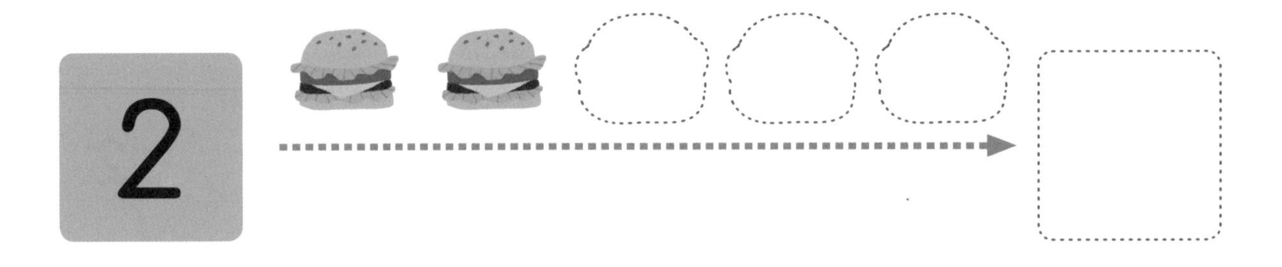

하나 더 많게 딱지를 붙이고, 하나 더 많은 수 딱지를 찾아 붙이세요.

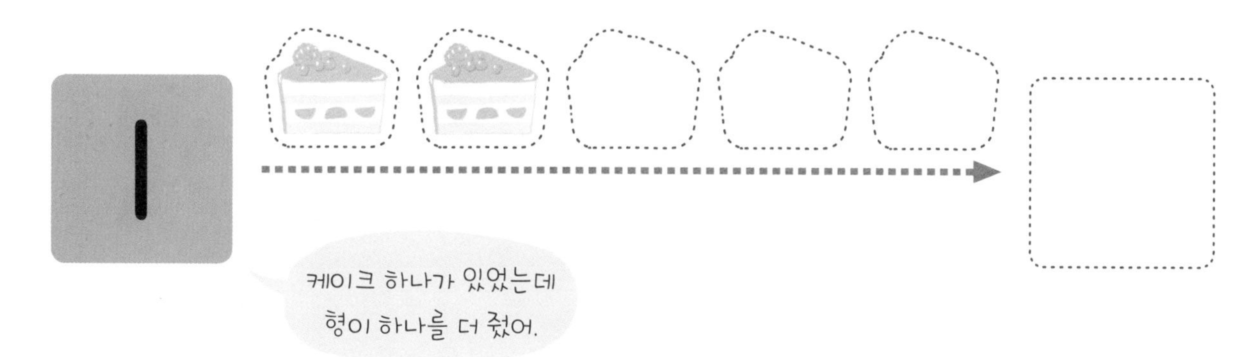

1
케이크 하나가 있었는데
형이 하나를 더 줬어.

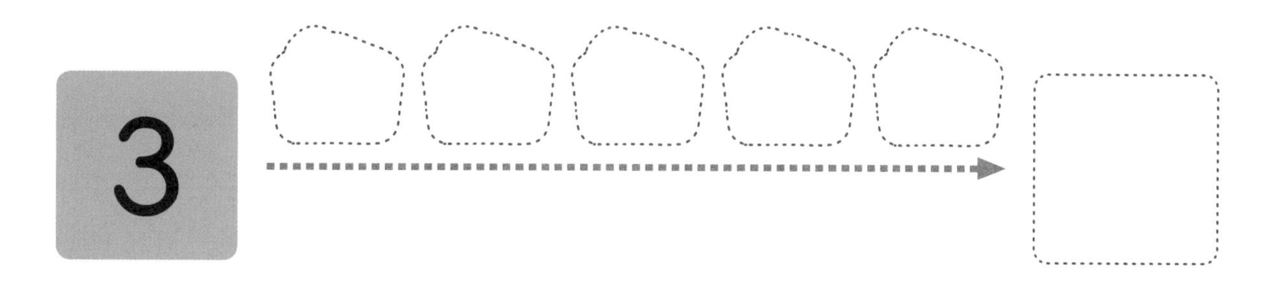

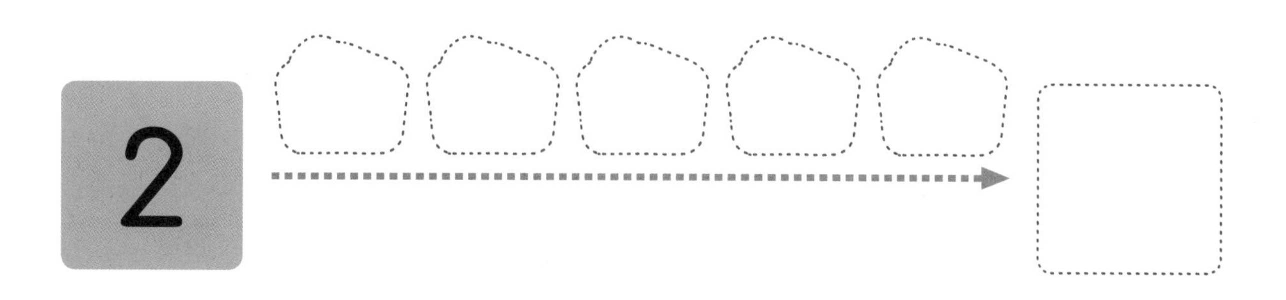

칸토 쌤

"둘보다 하나 더 많은 수는 뭐야?"라고 아이에게 물어보면 아직 "셋"이라고 말하는 것이 어려울 수 있어요. "하나둘셋, 셋이야!"라고 처음부터 수를 세어 대답하는 아이들이 많아요.

둘보다 하나 더
많은 수는?
하나~ 둘~ 셋!
셋이에요.

3일 하나 더 적게

짝지어 선을 그어 보고, 하나 더 적은 것에 ◯표 하세요.

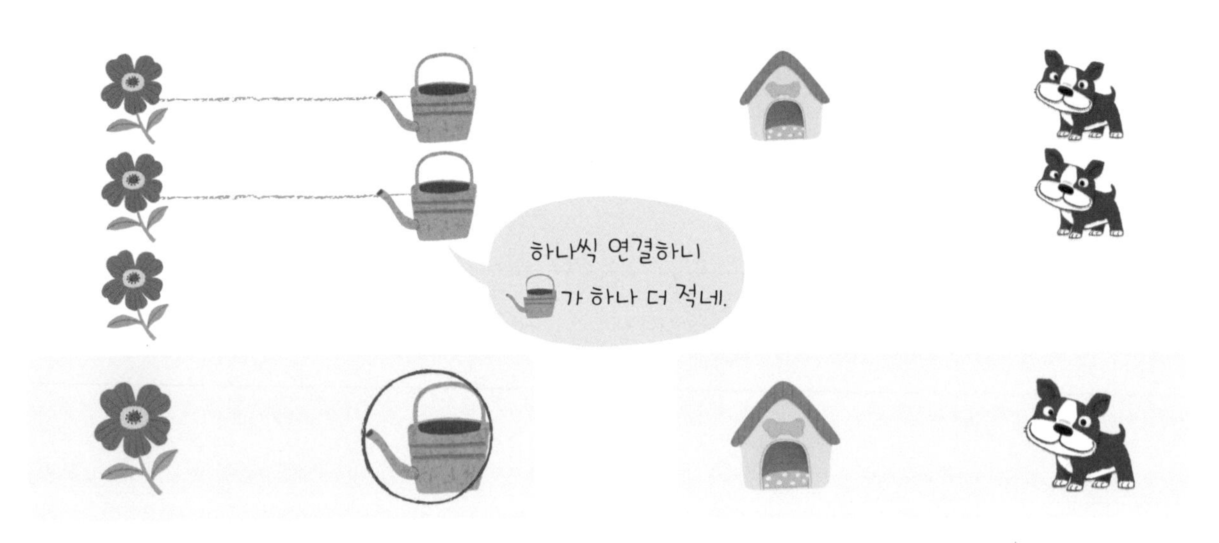

하나 더 적게 딱지를 붙이세요.

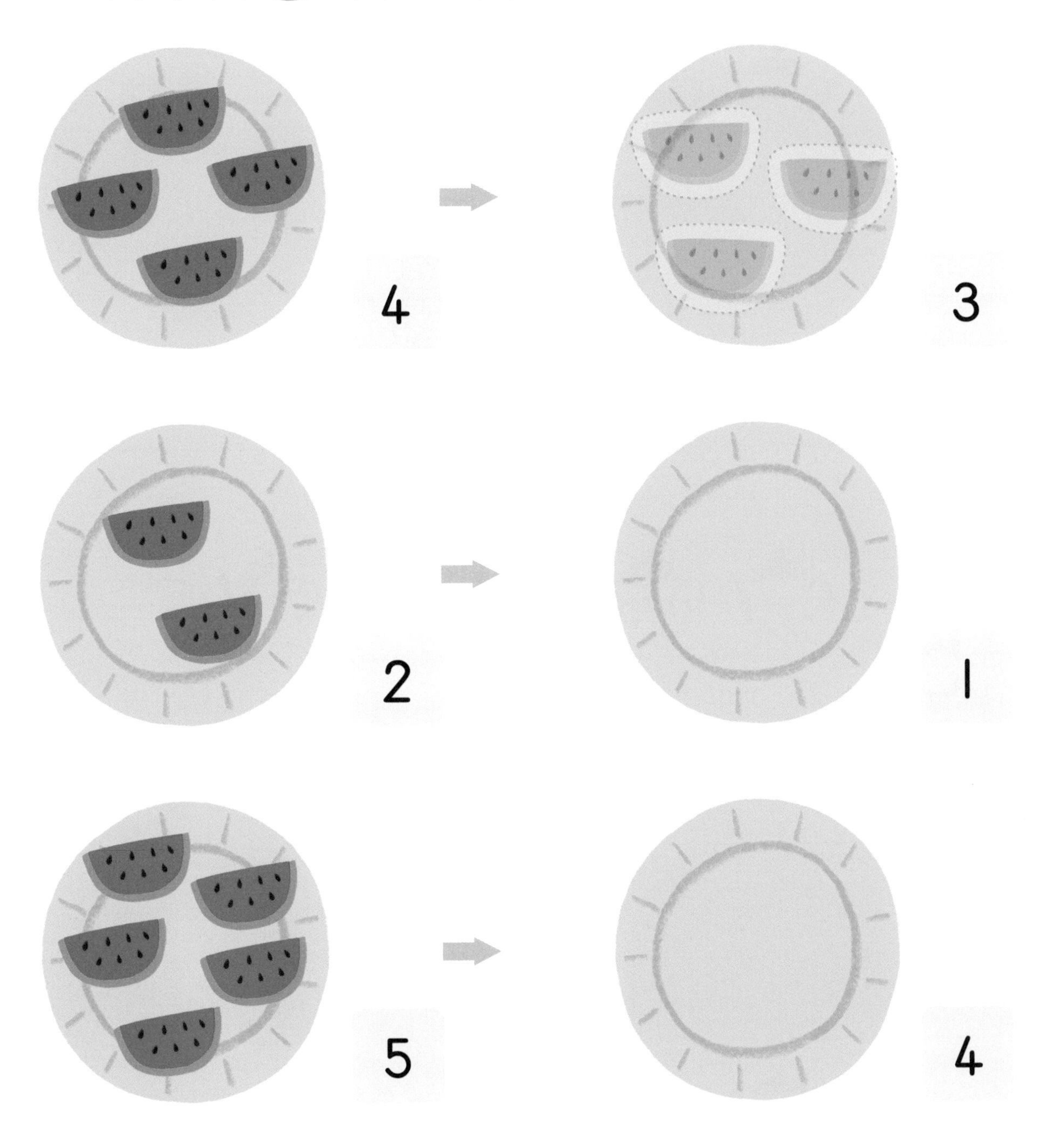

칸토 쌤

하나씩 짝짓기를 이용하여 하나 더 적은 수를 알아봅니다. 아이들은 더 많은 것에 관심을 가지는 경향이 있어 하나 더 많은 수보다 하나 더 적은 수를 더 어려워해요. 수를 비교하기 쉬운 계란판이나 블록으로 충분히 연습해 보세요.

하나 더 적은 수

하나만큼 ╳표 하고, 하나 더 적은 수 딱지를 찾아 붙이세요.

2

×표 하고 남은 수를 세어야 해.

5

3

하나 더 적게 딱지를 붙이고, 하나 더 적은 수 딱지를 찾아 붙이세요.

2

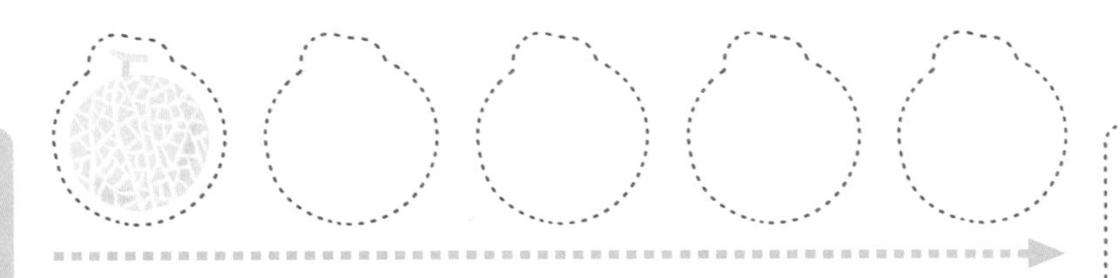

멜론 2개가 있었는데
1개를 먹었어.

4

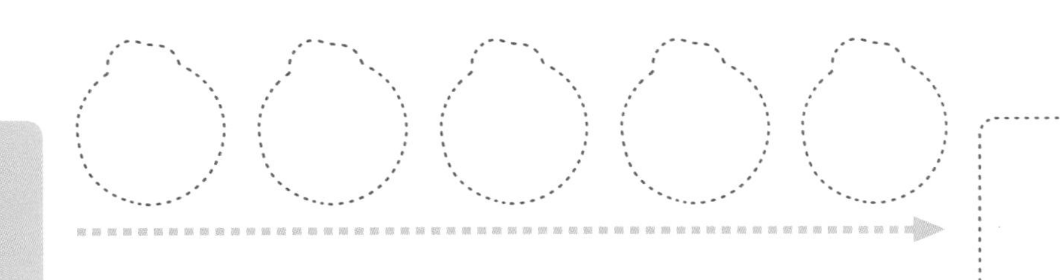

5

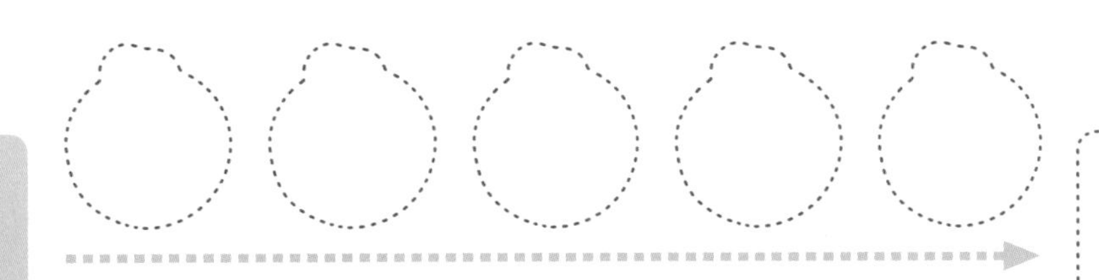

칸토 쌤

'앞으로 세기'는 하나 더 많은 수를, '거꾸로 세기'는 하나 더 적은 수를 쉽게 찾을 수 있는 수 세기 방법이에요. 두 방법 중 아이들은 거꾸로 세기를 더 어려워한답니다. 하지만 숨바꼭질과 같은 놀이를 통해 금방 배울 수 있으니 조금만 기다려 주세요.

5, 4, 3, 2, 1

5일 하나 더 많고 적은 수

그림에 맞게 하나 더 많은 수 딱지를 찾아 붙이세요.

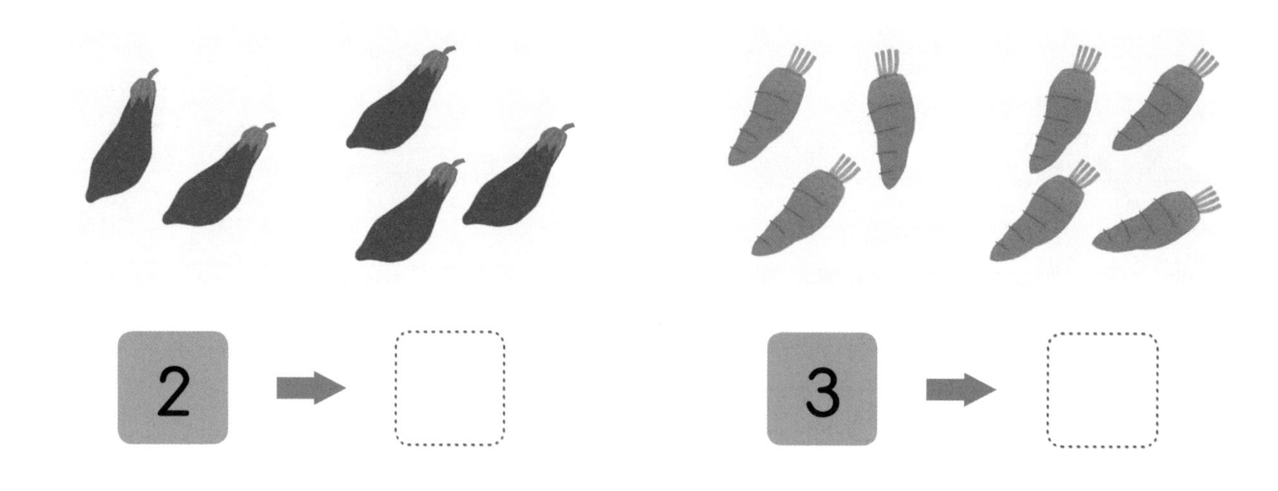

그림에 맞게 하나 더 적은 수 딱지를 찾아 붙이세요.

하나 더 많은 수와 하나 더 적은 수 딱지를 찾아 붙이세요.

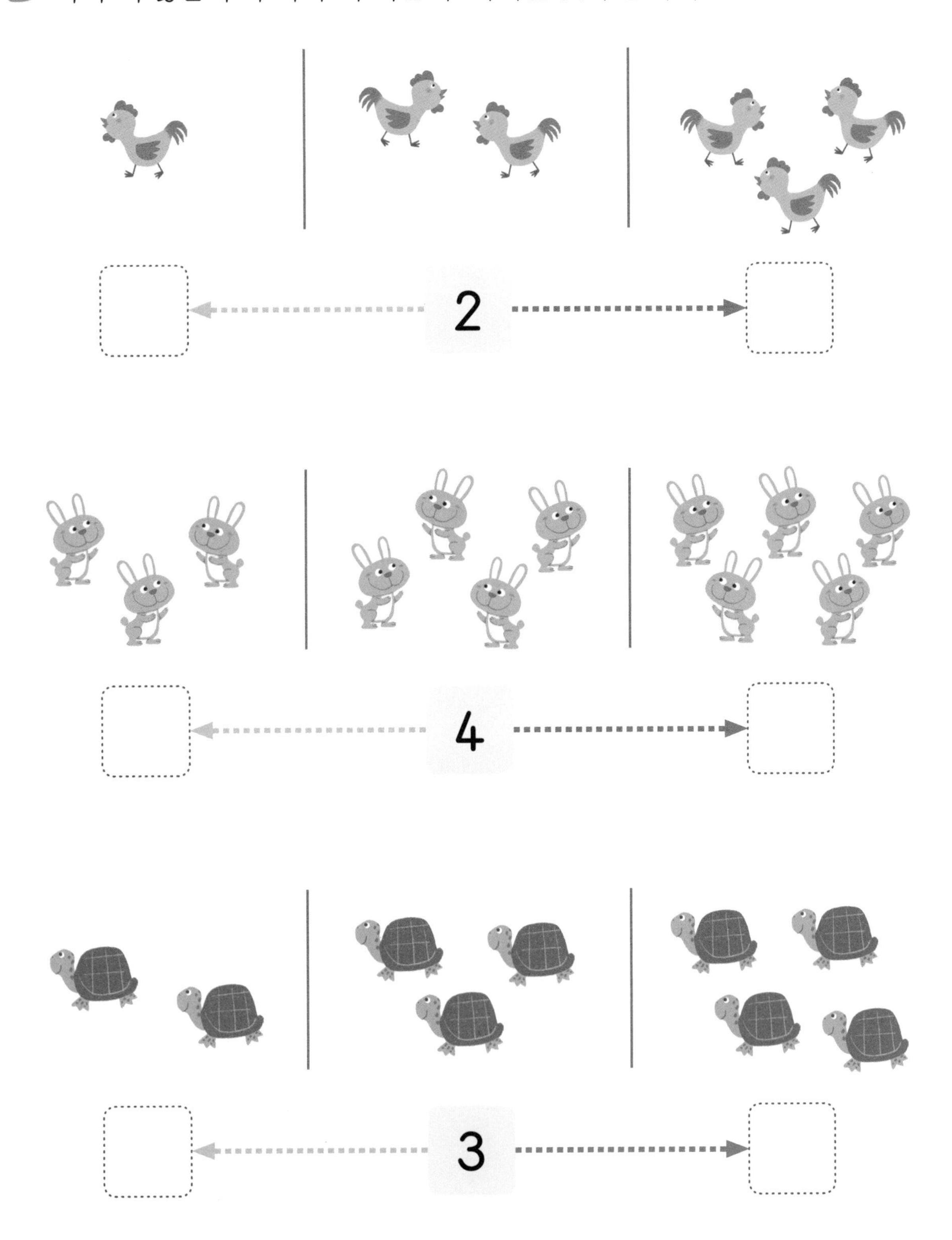

확인학습

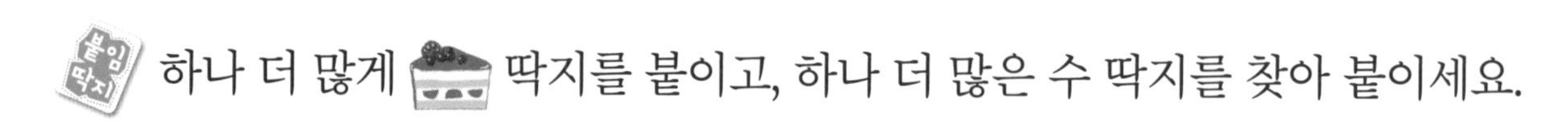

붙임딱지 하나 더 많게 딱지를 붙이고, 하나 더 많은 수 딱지를 찾아 붙이세요.

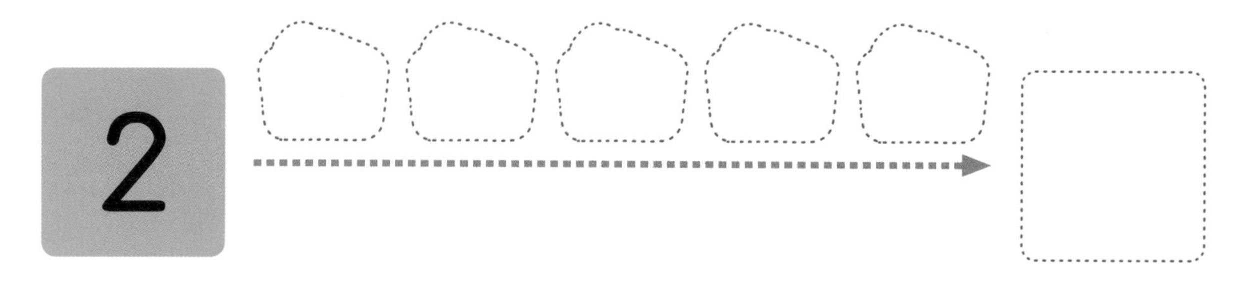

붙임딱지 하나만큼 ╳표 하고, 하나 더 적은 수 딱지를 찾아 붙이세요.

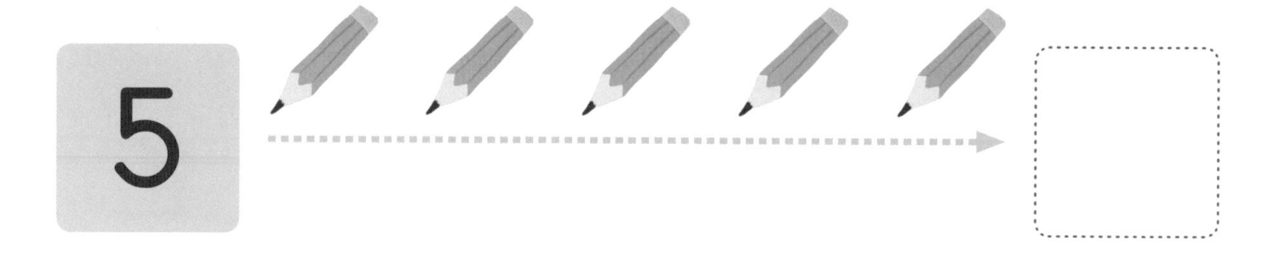

붙임딱지 하나 더 많은 수와 하나 더 적은 수 딱지를 찾아 붙이세요.

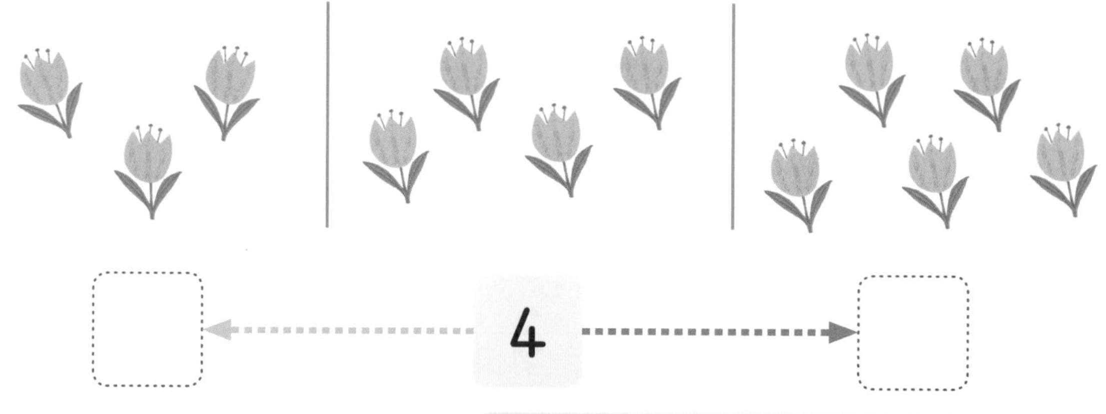

➡ 43쪽으로 돌아가 4주 차 학습 기준을 달성했는지 체크해 보세요.

마무리 평가

마무리 평가에서는 1, 2, 3, 4주 차의 유형이 순서대로 나옵니다.
문제가 틀리면 몇 주 차인지 확인하여 반드시 다시 한번 복습합니다.

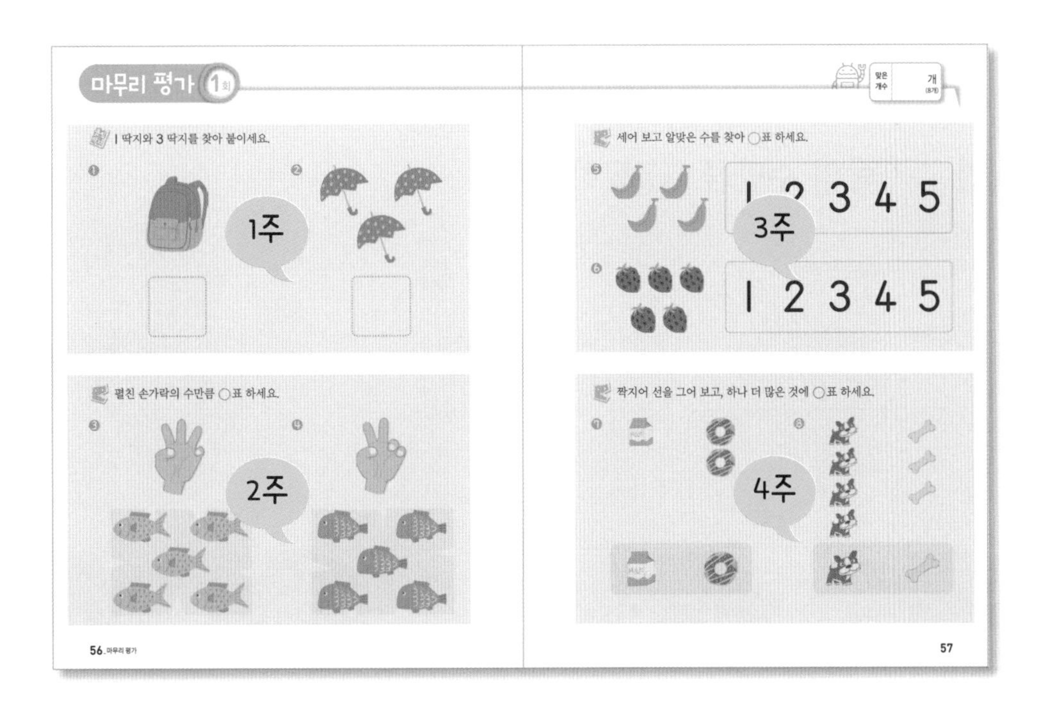

마무리 평가 1회
맞은 개수 개 (8개)
1 딱지와 3 딱지를 찾아 붙이세요.
1주
펼친 손가락의 수만큼 ○표 하세요.
2주
세어 보고 알맞은 수를 찾아 ○표 하세요.
1 2 3 4 5
3주
1 2 3 4 5
짝지어 선을 그어 보고, 하나 더 많은 것에 ○표 하세요.
4주
56 마무리 평가
57

마무리 평가 1회

1 딱지와 3 딱지를 찾아 붙이세요.

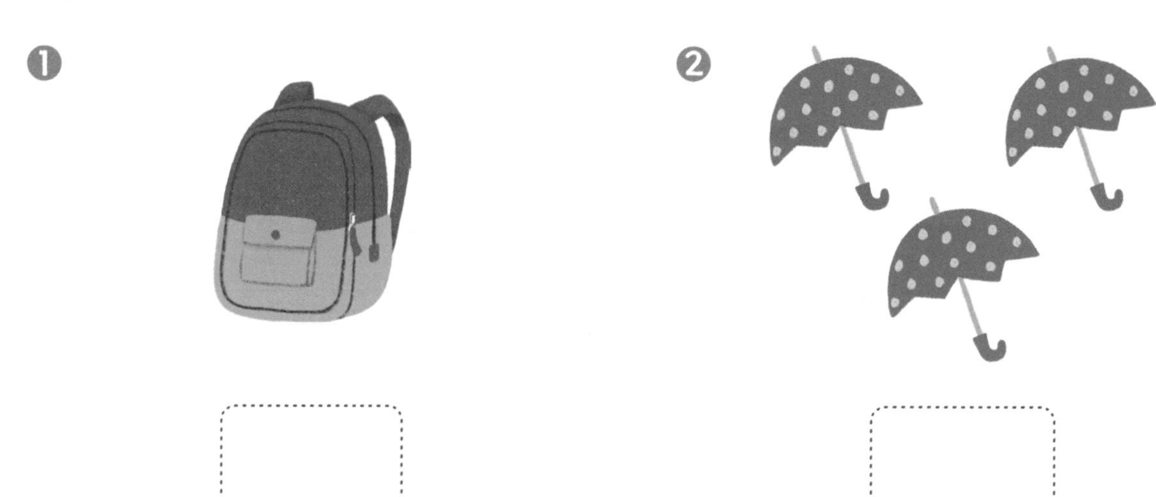

펼친 손가락의 수만큼 ○표 하세요.

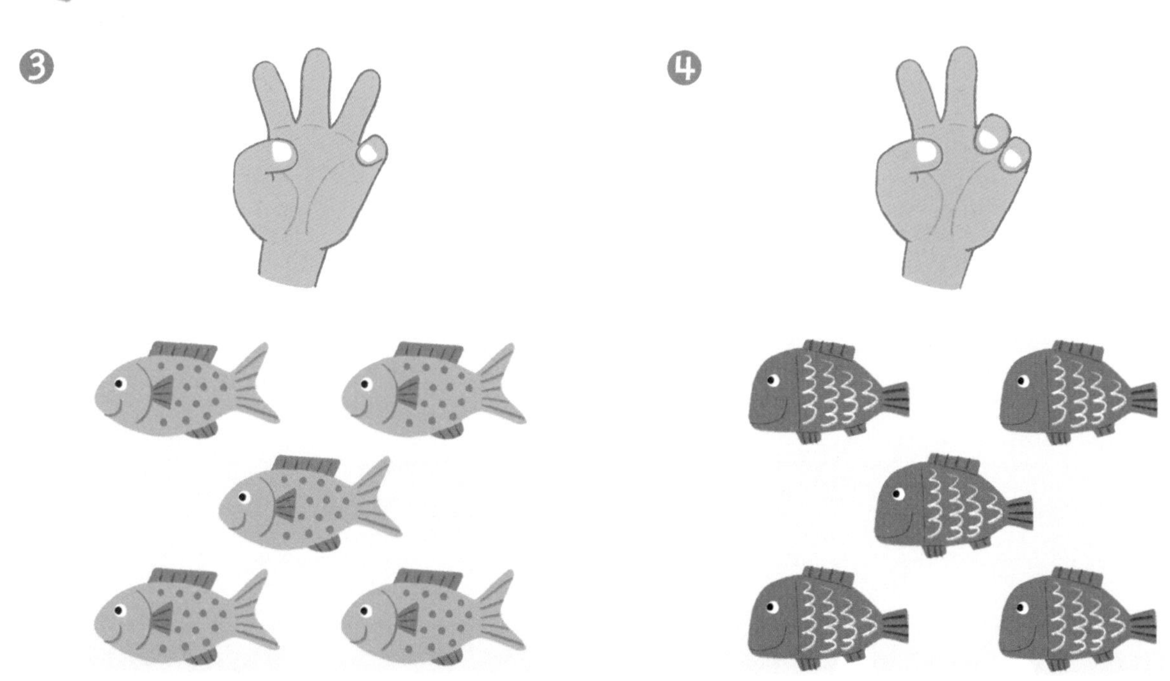

세어 보고 알맞은 수를 찾아 ○표 하세요.

❺ 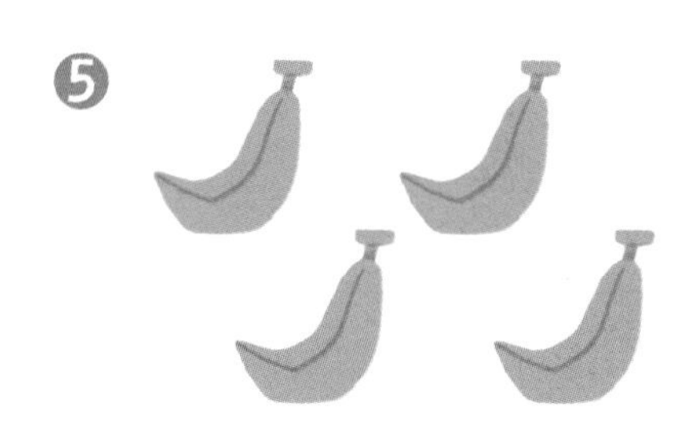

1 2 3 4 5

❻ 

1 2 3 4 5

짝지어 선을 그어 보고, 하나 더 많은 것에 ○표 하세요.

❼ 

❽ 

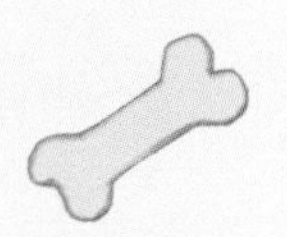

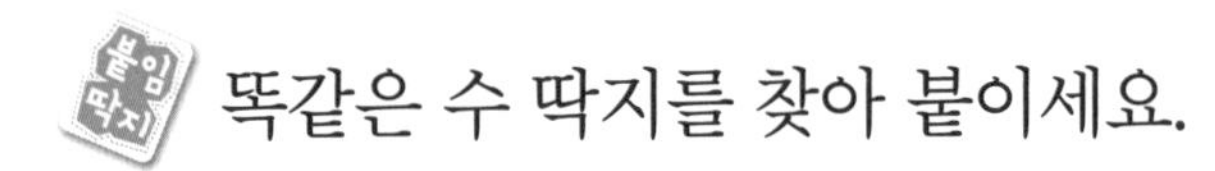

마무리 평가 2회

붙임 딱지 똑같은 수 딱지를 찾아 붙이세요.

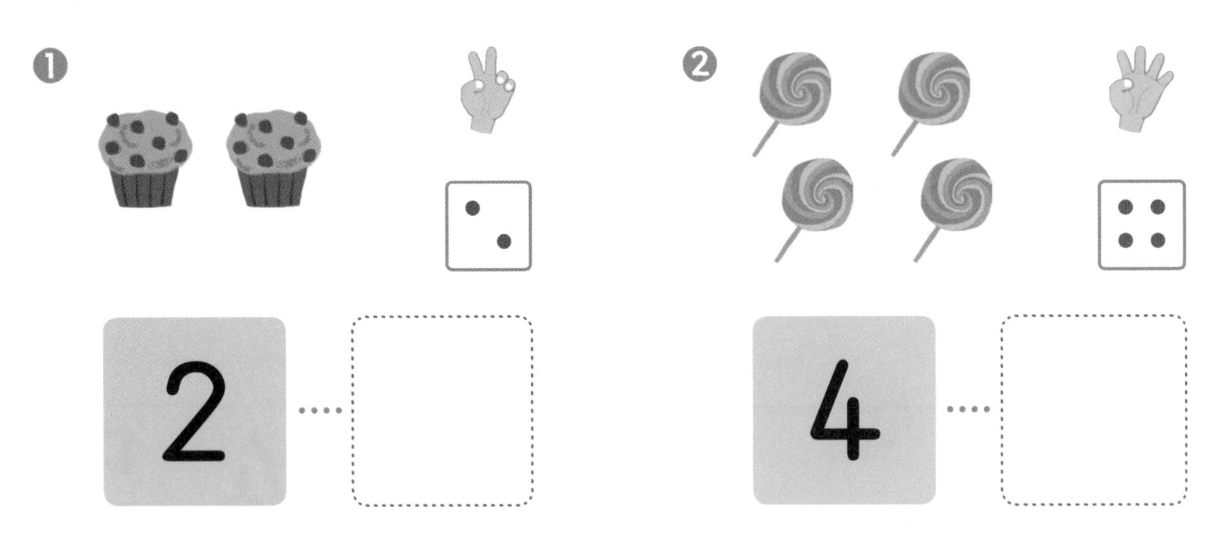

펼친 손가락의 수만큼 ×표 하세요.

 세어 보고 알맞은 수를 찾아 △표 하세요.

❺

1 2 3 4 5

❻

5 4 3 2 1

 하나 더 많게  딱지를 붙이세요.

❼

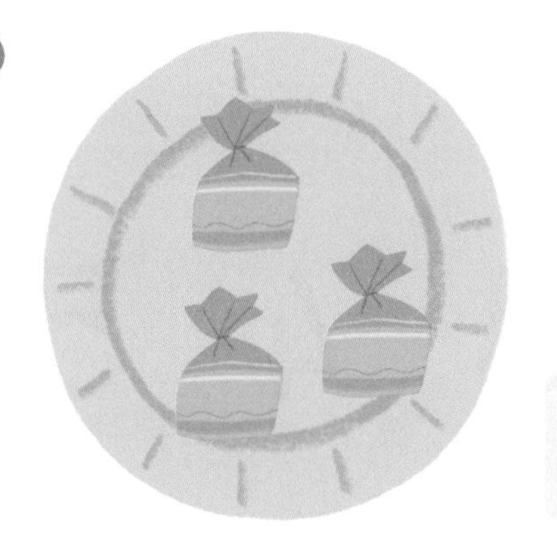

3

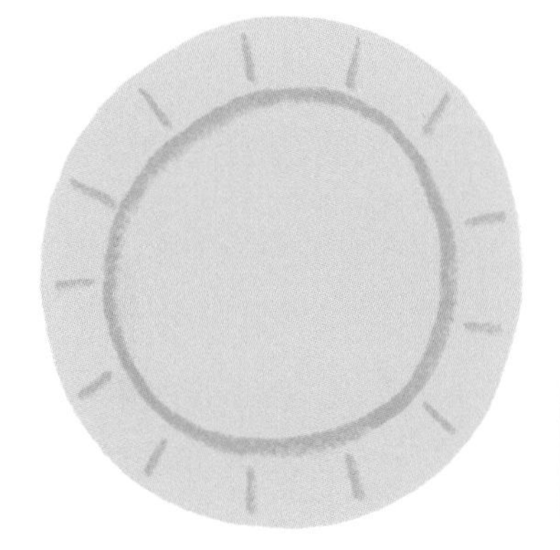

4

마무리 평가 3회

알맞은 수 딱지를 찾아 붙이세요.

❶

다섯
오

❷

둘
이

손가락이 나타내는 수를 찾아 ◯표 하세요.

❸

1 2 3 4 5

❹

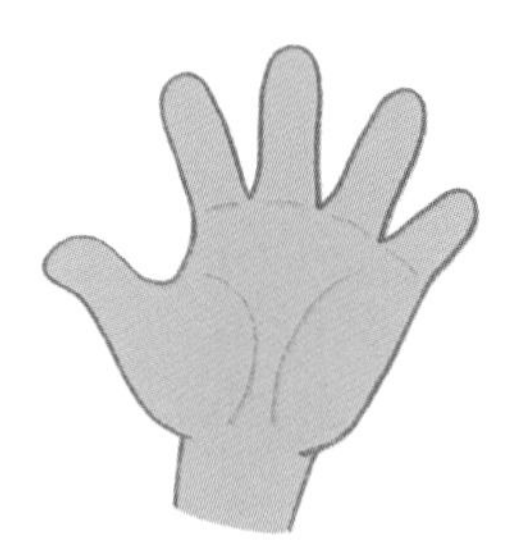

1 2 3 4 5

수만큼 ◯표 하세요.

❺

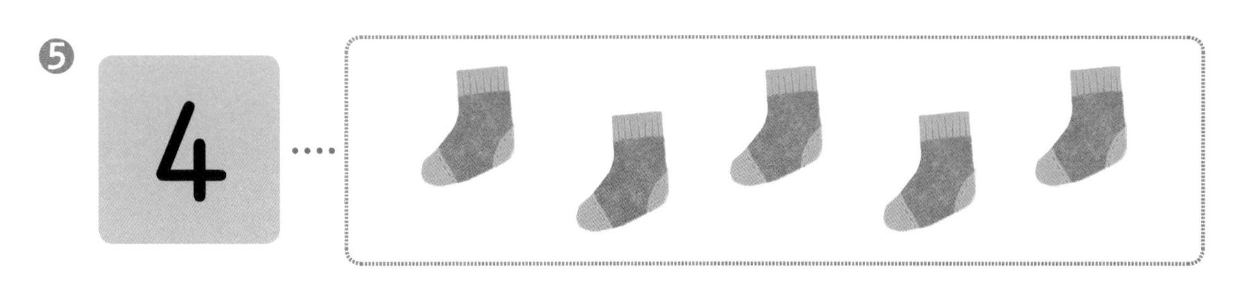

짝지어 선을 그어 보고, 하나 더 적은 것에 ◯표 하세요.

❻ ❼

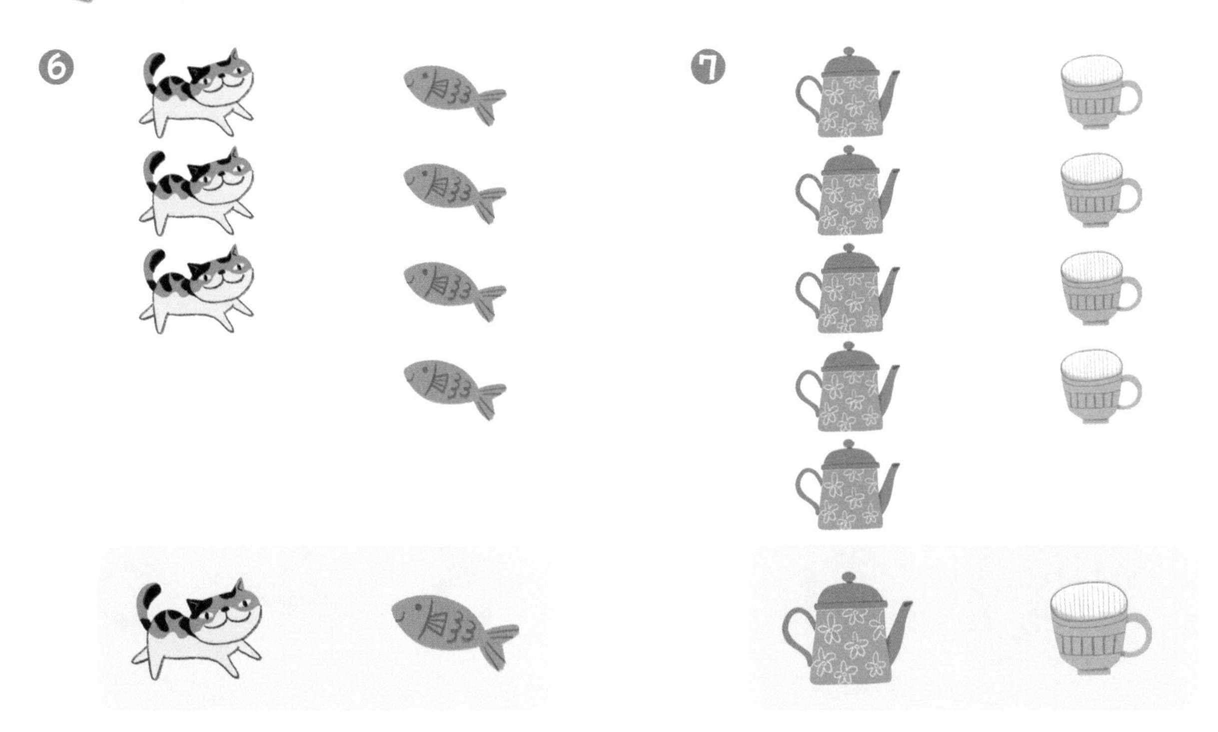

마무리 평가 4회

숨어 있는 숫자를 하나씩 찾아 색칠하세요.

❶

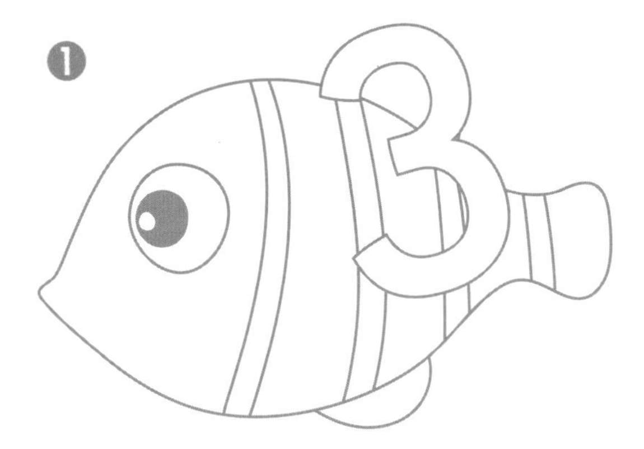

❷

주사위가 나타내는 수를 찾아 ○표 하세요.

❸ 

1 2 3 4 5

❹ 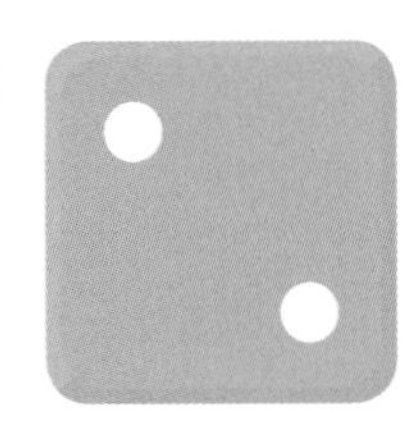

1 2 3 4 5

수만큼 딱지를 붙이세요.

❺

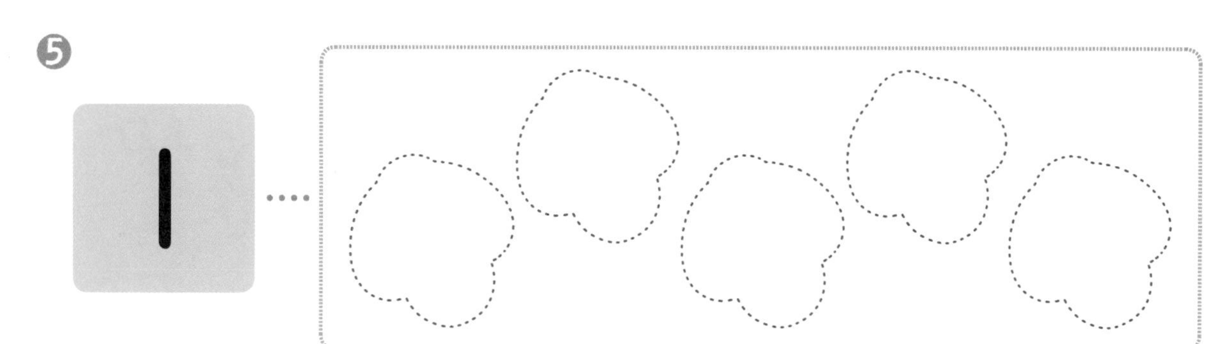

❻

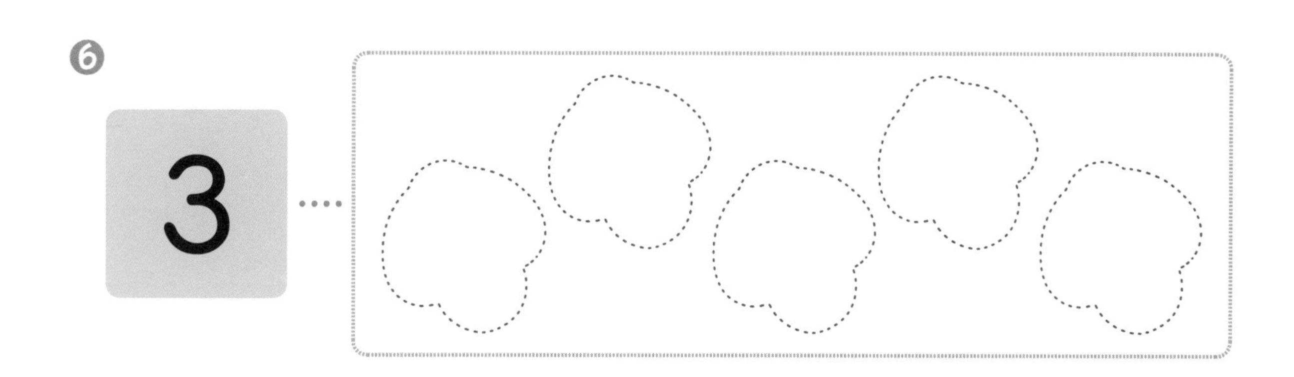

하나 더 적게 딱지를 붙이세요.

❼

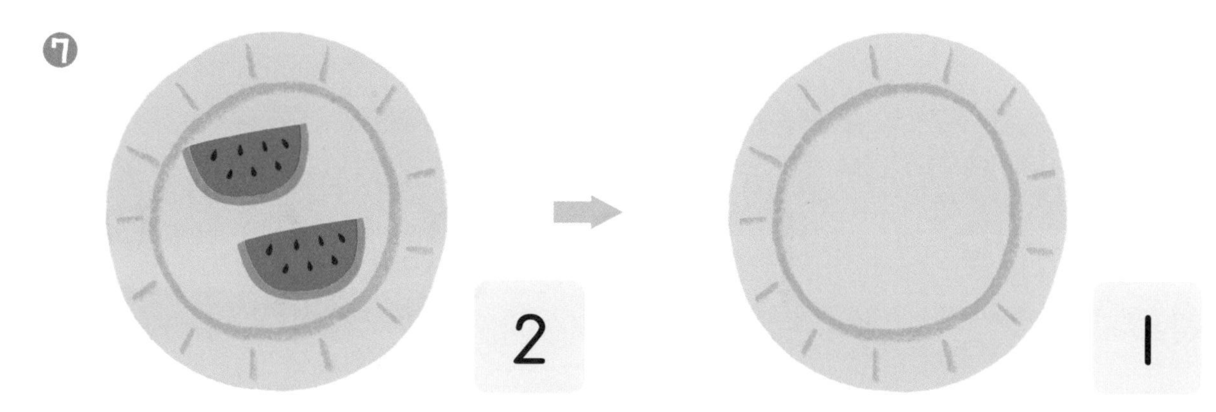

마무리 평가 5회

붙임 딱지 알맞은 수 딱지를 찾아 붙이세요.

❶

하나
일

❷

다섯
오

손가락이 나타내는 수를 찾아 ◯표 하세요.

❸

1 2 3 4 5

❹

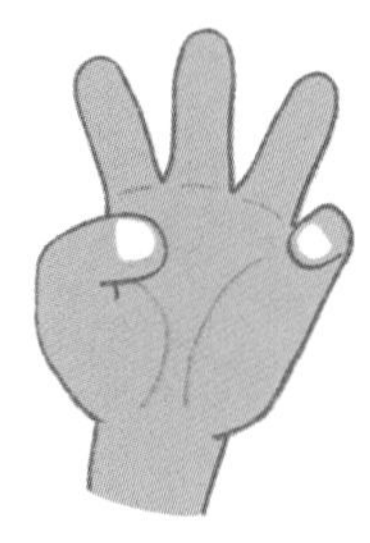

1 2 3 4 5

붙임 딱지 따로 세어 보고 알맞은 수 딱지를 찾아 붙이세요.

❺ ❻

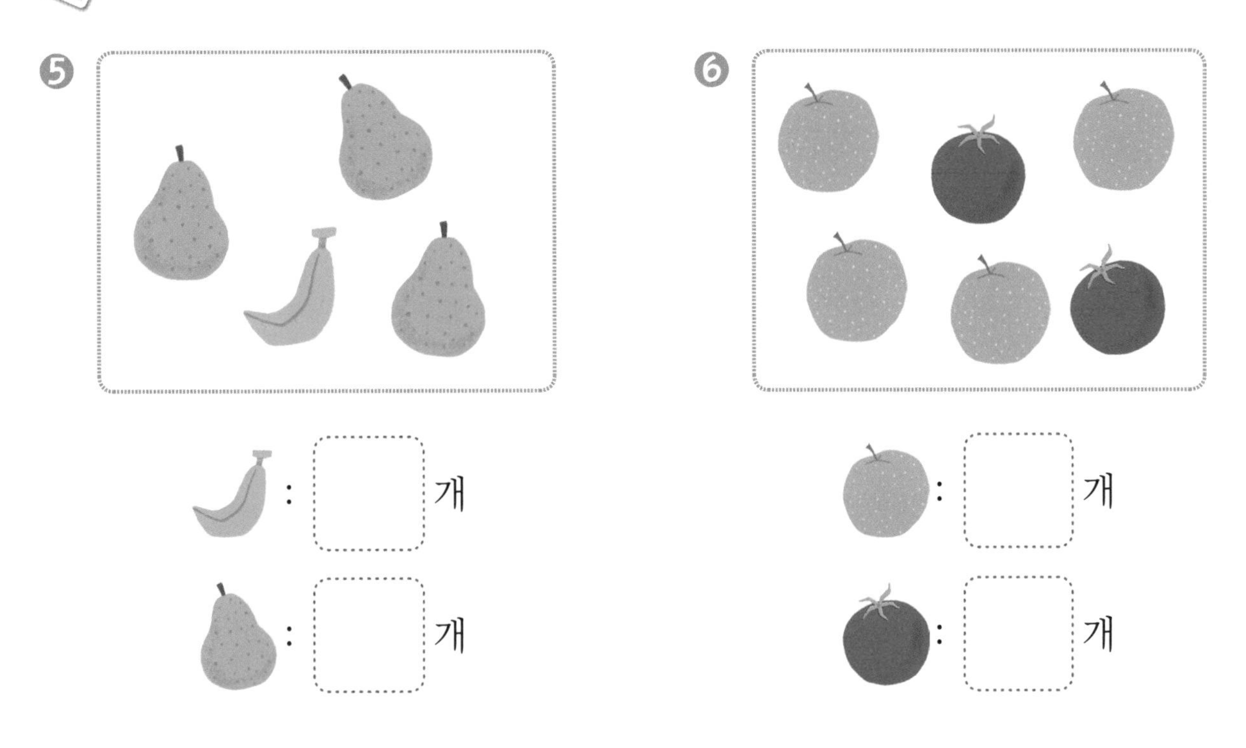

붙임 딱지 하나만큼 ╳표 하고, 하나 더 적은 수 딱지를 찾아 붙이세요.

❼

MEMO

MEMO

MEMO

유아 연산의 기준

정답

칸토의 연산

1부터 5까지의 수

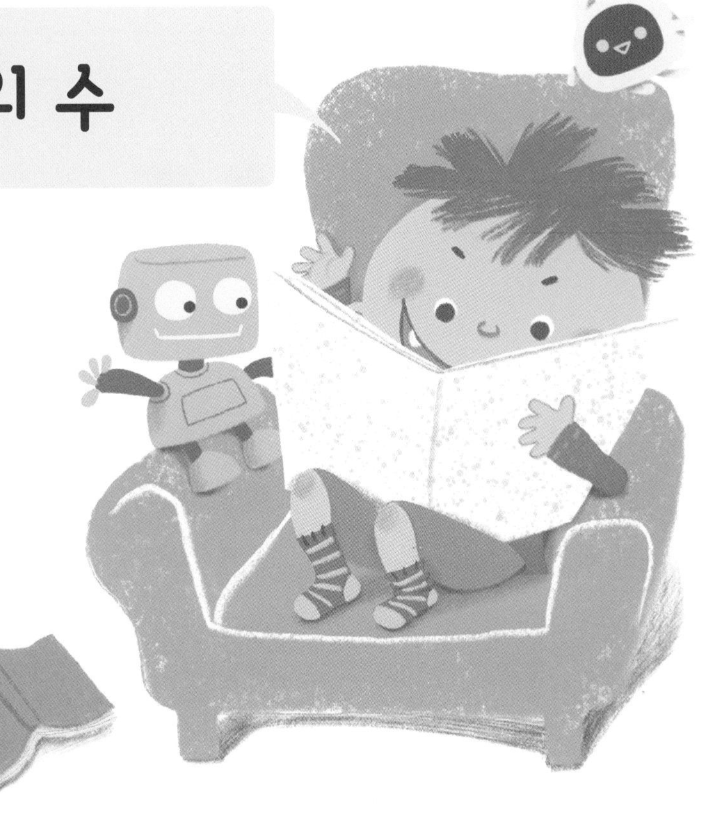

정답

1주: 1, 2, 3, 4, 5

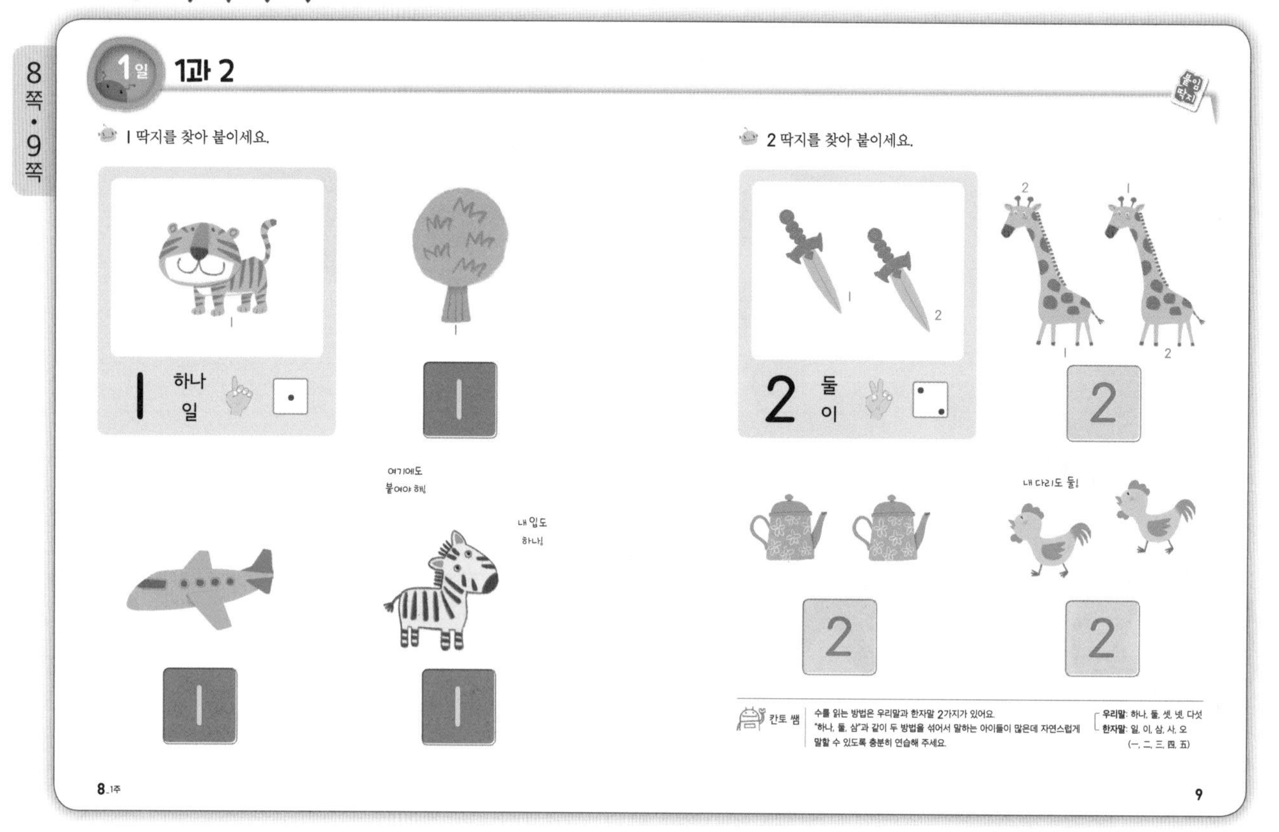

8쪽 · 9쪽
1일 1과 2
1 딱지를 찾아 붙이세요.
1 하나 일
여기에도 붙여야 해!
내 입도 하나!
2 딱지를 찾아 붙이세요.
2 둘 이
내 다리도 둘!
칸토 쌤
수를 읽는 방법은 우리말과 한자말 2가지가 있어요.
"하나, 둘, 삼"과 같이 두 방법을 섞어서 말하는 아이들이 많은데 자연스럽게 말할 수 있도록 충분히 연습해 주세요.
우리말: 하나, 둘, 셋, 넷, 다섯
한자말: 일, 이, 삼, 사, 오 (一, 二, 三, 四, 五)
8_1주
9

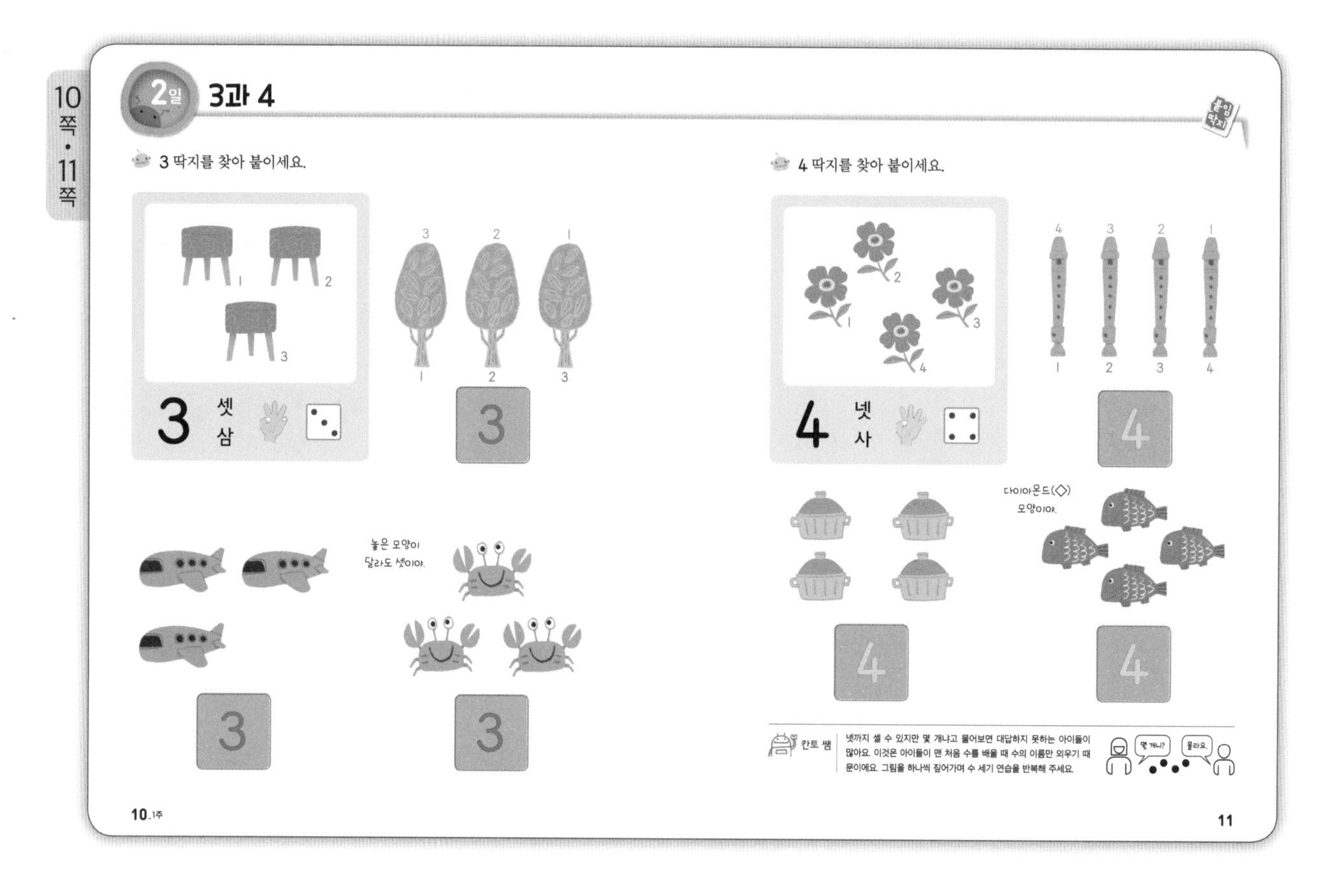

10쪽 · 11쪽
2일 3과 4
3 딱지를 찾아 붙이세요.
3 셋 삼
놓은 모양이 달라도 셋이야.
4 딱지를 찾아 붙이세요.
4 넷 사
다이아몬드(◇) 모양이야.
칸토 쌤
넷까지 셀 수 있지만 몇 개냐고 물어보면 대답하지 못하는 아이들이 많아요. 이것은 아이들이 맨 처음 수를 배울 때 수의 이름만 외우기 때문이에요. 그림을 하나씩 짚어가며 수 세기 연습을 반복해 주세요.
10_1주
11

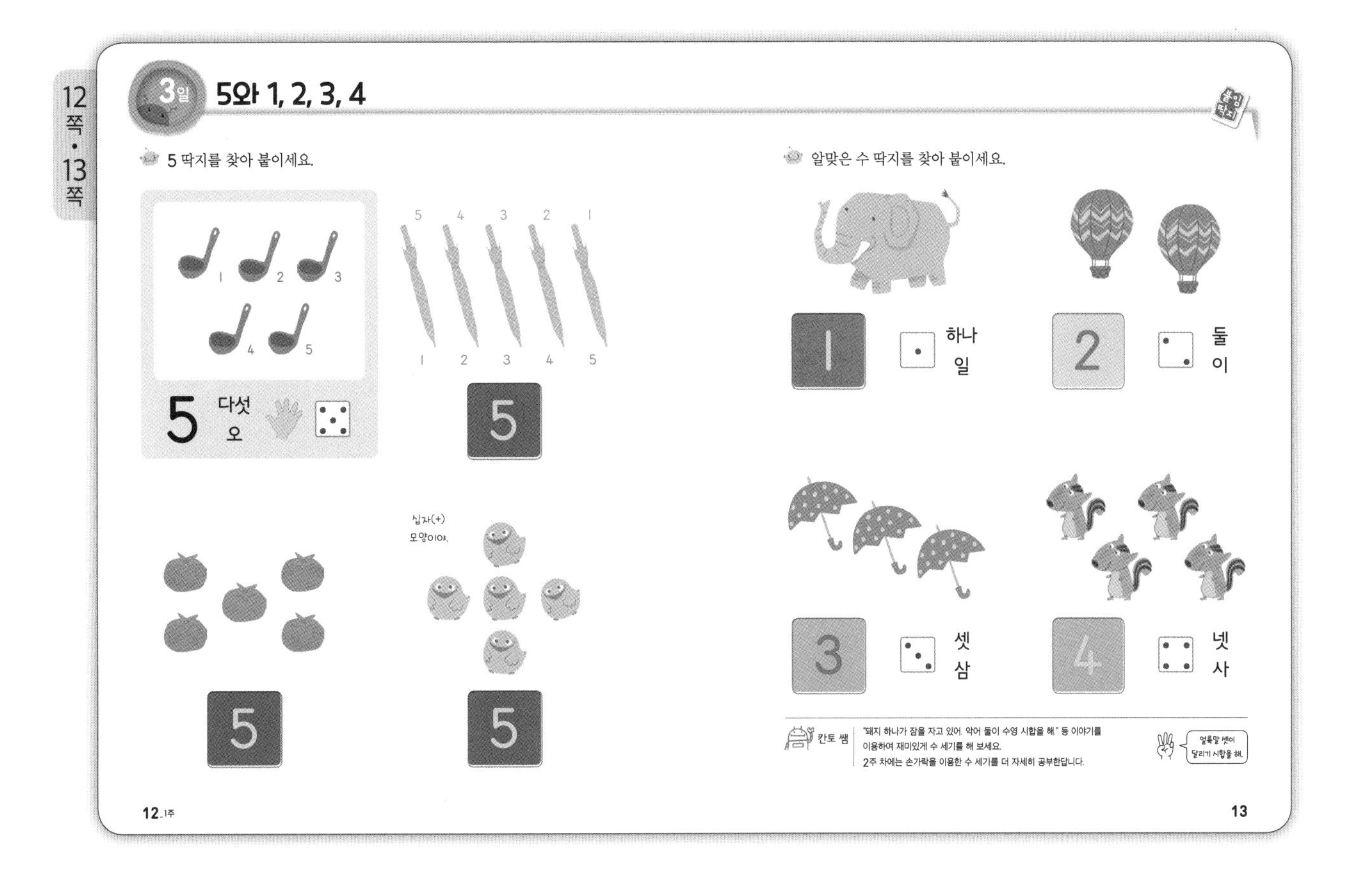
12쪽·13쪽
3일 5와 1, 2, 3, 4
5 딱지를 찾아 붙이세요.
5 다섯 오
십자(+) 모양이야.
알맞은 수 딱지를 찾아 붙이세요.
1 하나 일
2 둘 이
3 셋 삼
4 넷 사
칸토 쌤
"돼지 하나가 잠을 자고 있어. 악어 둘이 수영 시합을 해." 등 이야기를 이용하여 재미있게 수 세기를 해 보세요.
2주 차에는 손가락을 이용한 수 세기를 더 자세히 공부한답니다.
얼룩말 셋이 달리기 시합을 해.
12 1주
13

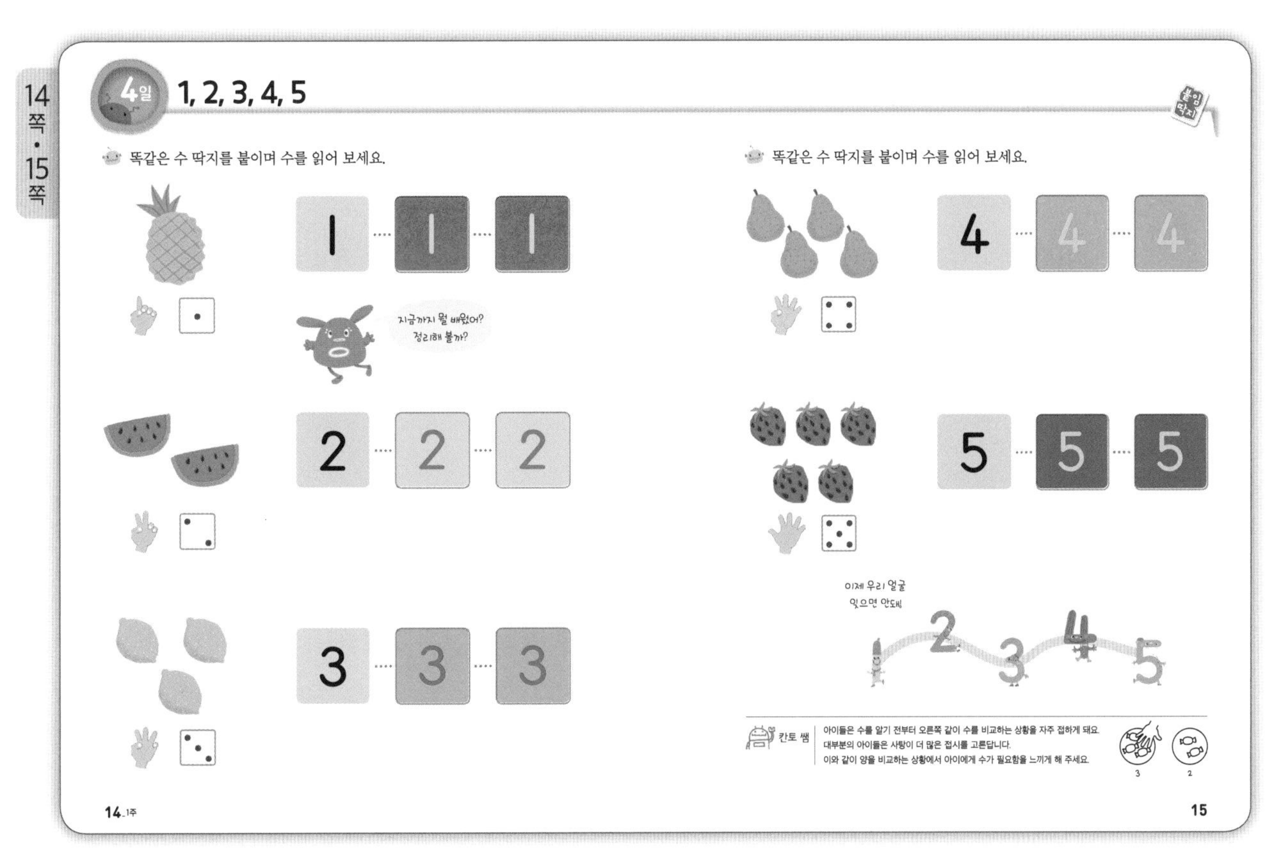
14쪽·15쪽
4일 1, 2, 3, 4, 5
똑같은 수 딱지를 붙이며 수를 읽어 보세요.
지금까지 뭘 배웠어? 정리해 볼까?
이제 우리 얼굴 잊으면 안돼!
칸토 쌤
아이들은 수를 알기 전부터 오른쪽 같이 수를 비교하는 상황을 자주 접하게 돼요.
대부분의 아이들은 사탕이 더 많은 접시를 고른답니다.
이와 같이 양을 비교하는 상황에서 아이에게 수가 필요함을 느끼게 해 주세요.
14 1주
15

정답

16쪽·17쪽

5일 숫자 찾기

숨어 있는 숫자를 하나씩 찾아 색칠하세요.

2 5 4 3

우리집에도 숫자가 숨어 있어. 찾아볼래?

1, 2, 3, 4, 5를 찾아 ○표 하세요.

칸토 쌤 | 아이와 함께 우리 주변에 숨어 있는 숫자를 찾아보세요. 의외로 우리 아이들은 숫자 모양에 호기심을 보이며 숫자의 이름도 잘 따라 말하고 기억한답니다.

16.1주 17

18쪽

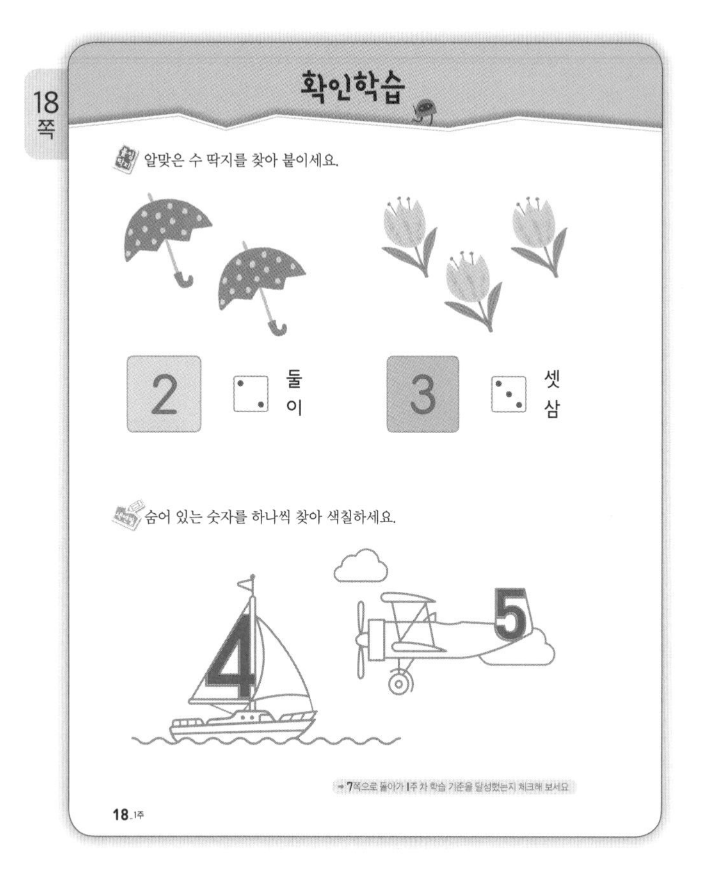

확인학습

알맞은 수 딱지를 찾아 붙이세요.

2 둘 이 | 3 셋 삼

숨어 있는 숫자를 하나씩 찾아 색칠하세요.

4 5

→ 7쪽으로 돌아가 1주 차 학습 기준을 달성했는지 체크해 보세요.

18.1주

1주

2주: 손가락 수, 주사위 수

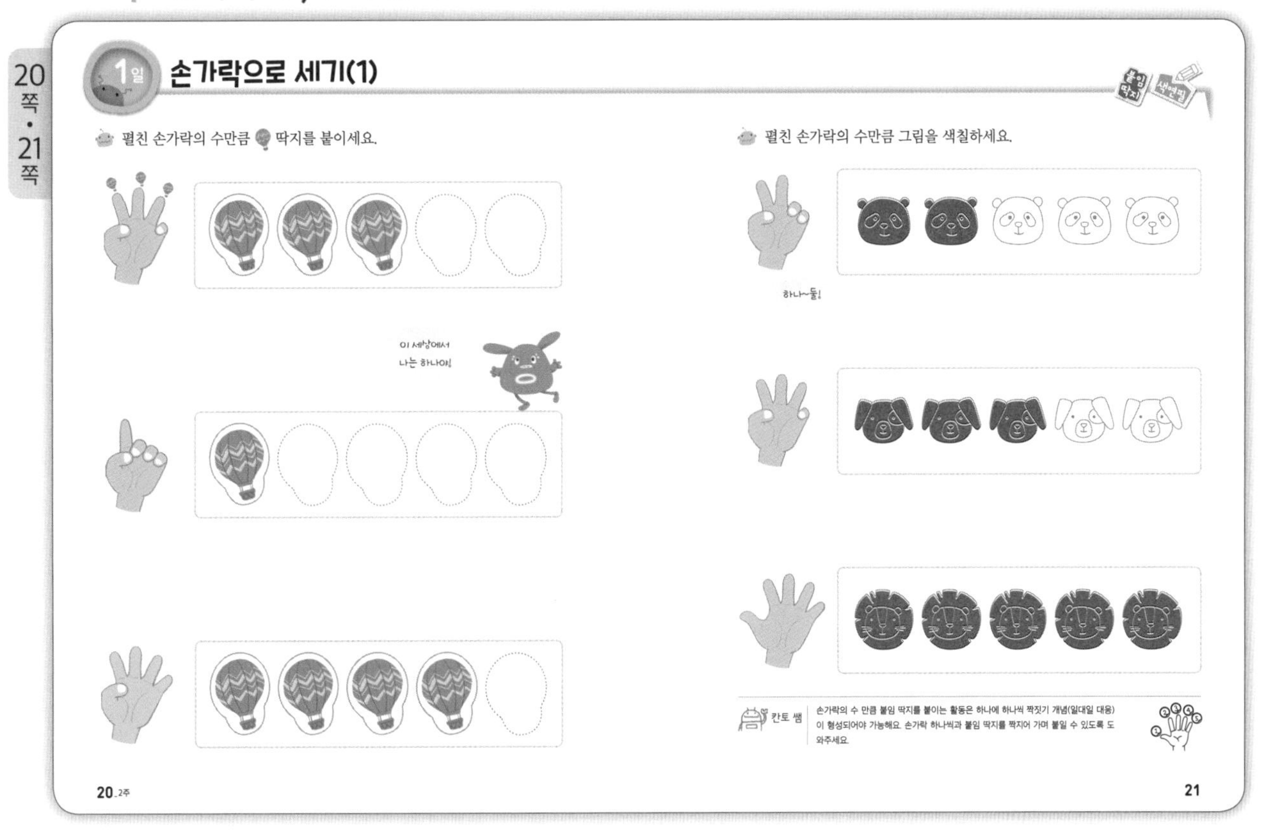

20쪽 · 21쪽

1일 손가락으로 세기(1)

펼친 손가락의 수만큼 딱지를 붙이세요.

펼친 손가락의 수만큼 그림을 색칠하세요.

칸토 쌤 | 손가락의 수 만큼 붙임 딱지를 붙이는 활동은 하나에 하나씩 짝짓기 개념(일대일 대응)이 형성되어야 가능해요. 손가락 하나씩과 붙임 딱지를 짝지어 가며 붙일 수 있도록 도와주세요.

20 2주 | 21

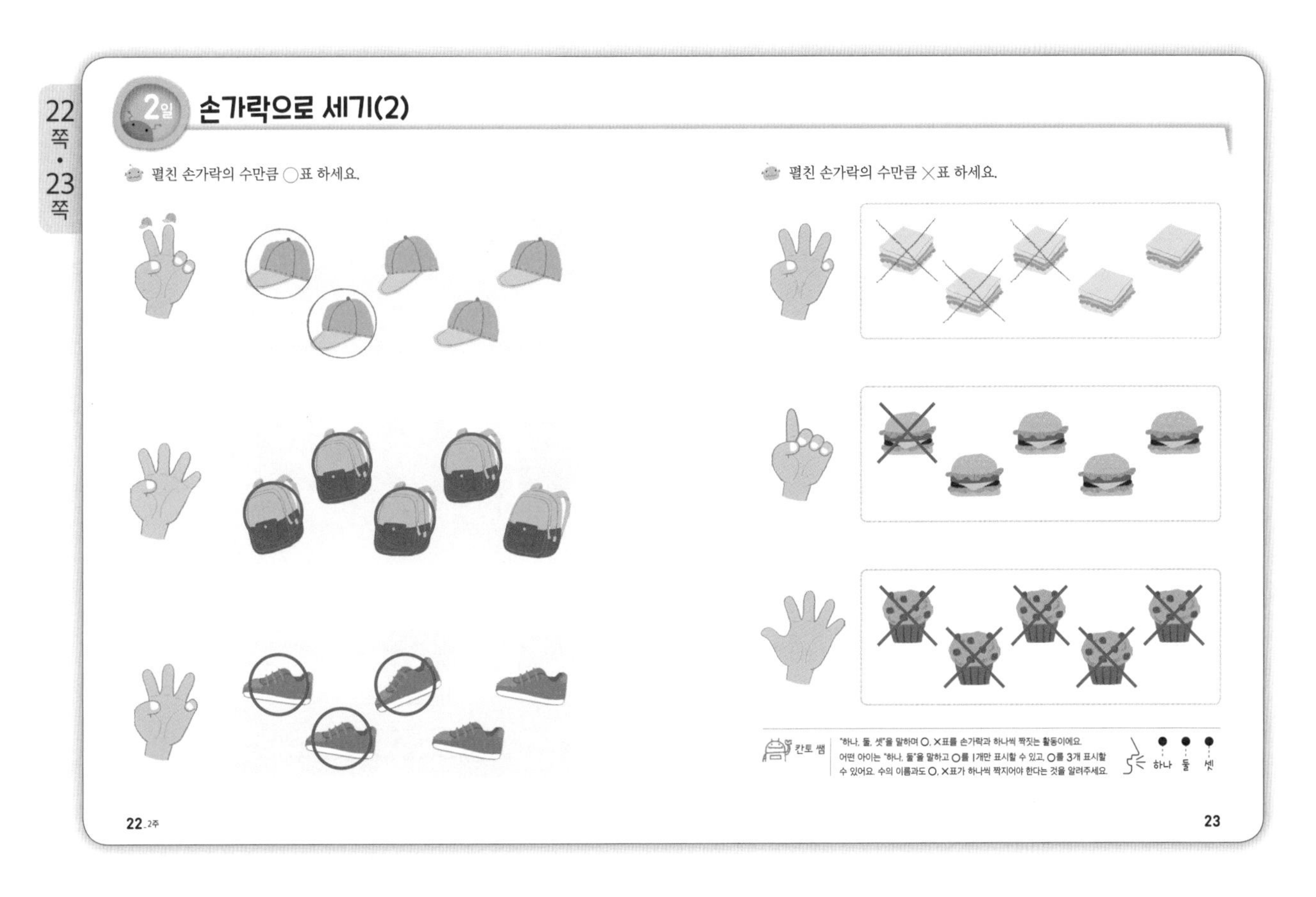

22쪽 · 23쪽

2일 손가락으로 세기(2)

펼친 손가락의 수만큼 ○표 하세요.

펼친 손가락의 수만큼 ×표 하세요.

칸토 쌤 | "하나, 둘, 셋"을 말하며 ○, ×표를 손가락과 하나씩 짝짓는 활동이에요. 어떤 아이는 "하나, 둘"을 말하고 ○를 1개만 표시할 수 있고, ○를 3개 표시할 수 있어요. 수의 이름과도 ○, ×표가 하나씩 짝지어야 한다는 것을 알려주세요.

22 2주 | 23

정답

24쪽·25쪽

3일 손가락 수

붙임딱지

손가락이 나타내는 수를 찾아 ○표 하세요.

우리 가족은 셋이야.

1 2 (3) 4 5

1 (2) 3 4 5

1 2 3 4 (5)

손가락이 나타내는 수 딱지를 찾아 붙이세요.

1 2 3

4 5

1, 2, 3, 4, 5

칸토 쌤 | 손가락 수를 숫자로 바꾸어 나타내는 활동이에요.
수 세기 활동은 3주 차에 다시 나오므로 손가락을 다양한 방법으로 펴가며 아이와 즐겁게 학습해 보세요.

2·둘·이

24 2주 / 25

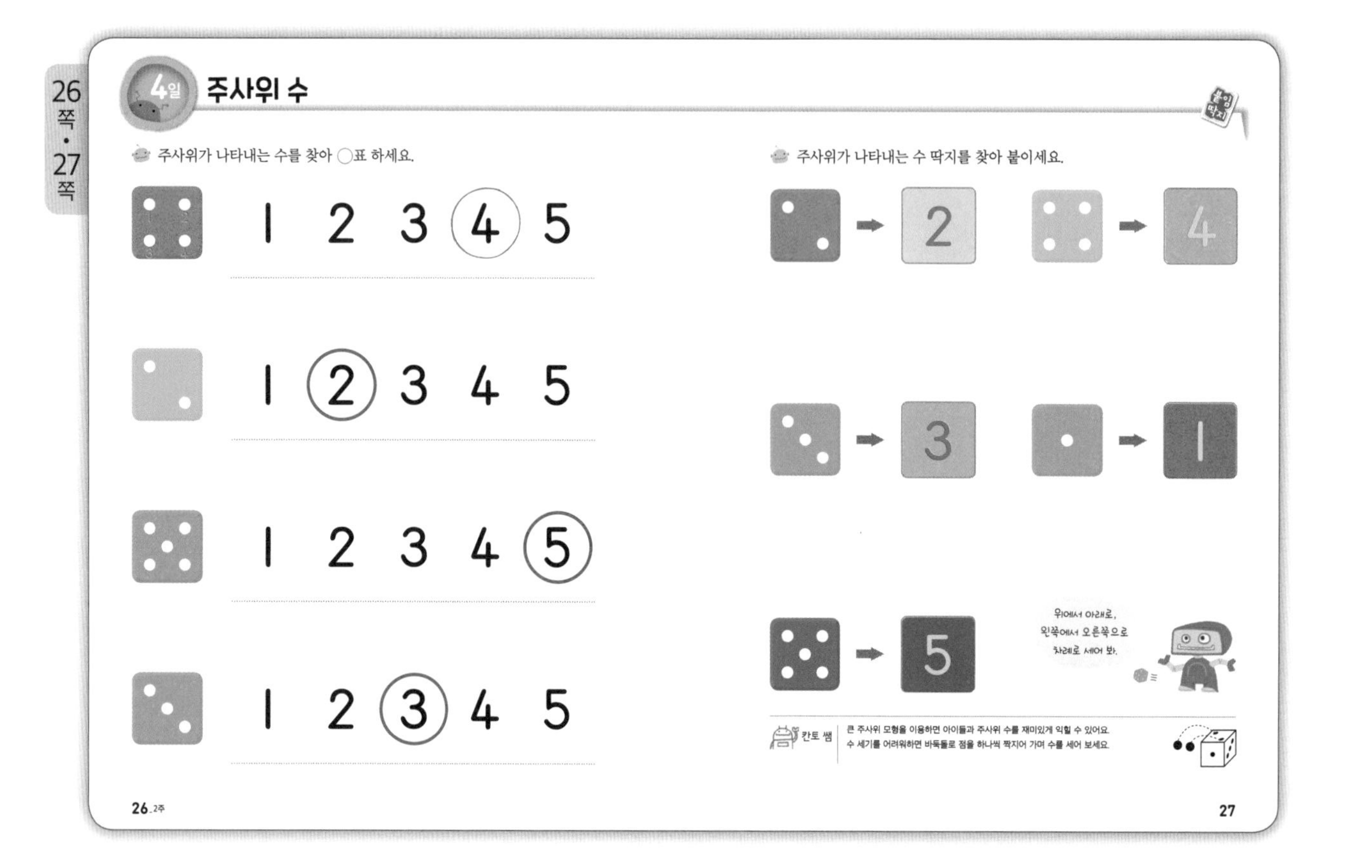

26쪽·27쪽
4일 주사위 수
붙임딱지
주사위가 나타내는 수를 찾아 ○표 하세요.
1 2 3 (4) 5
1 (2) 3 4 5
1 2 3 4 (5)
1 2 (3) 4 5
주사위가 나타내는 수 딱지를 찾아 붙이세요.
2
4
3
1
5
위에서 아래로,
왼쪽에서 오른쪽으로
차례로 세어 봐.
칸토 쌤
큰 주사위 모형을 이용하면 아이들과 주사위 수를 재미있게 익힐 수 있어요.
수 세기를 어려워하면 바둑돌로 점을 하나씩 짝지어 가며 수를 세어 보세요.
26 2주
27

28쪽 · 29쪽

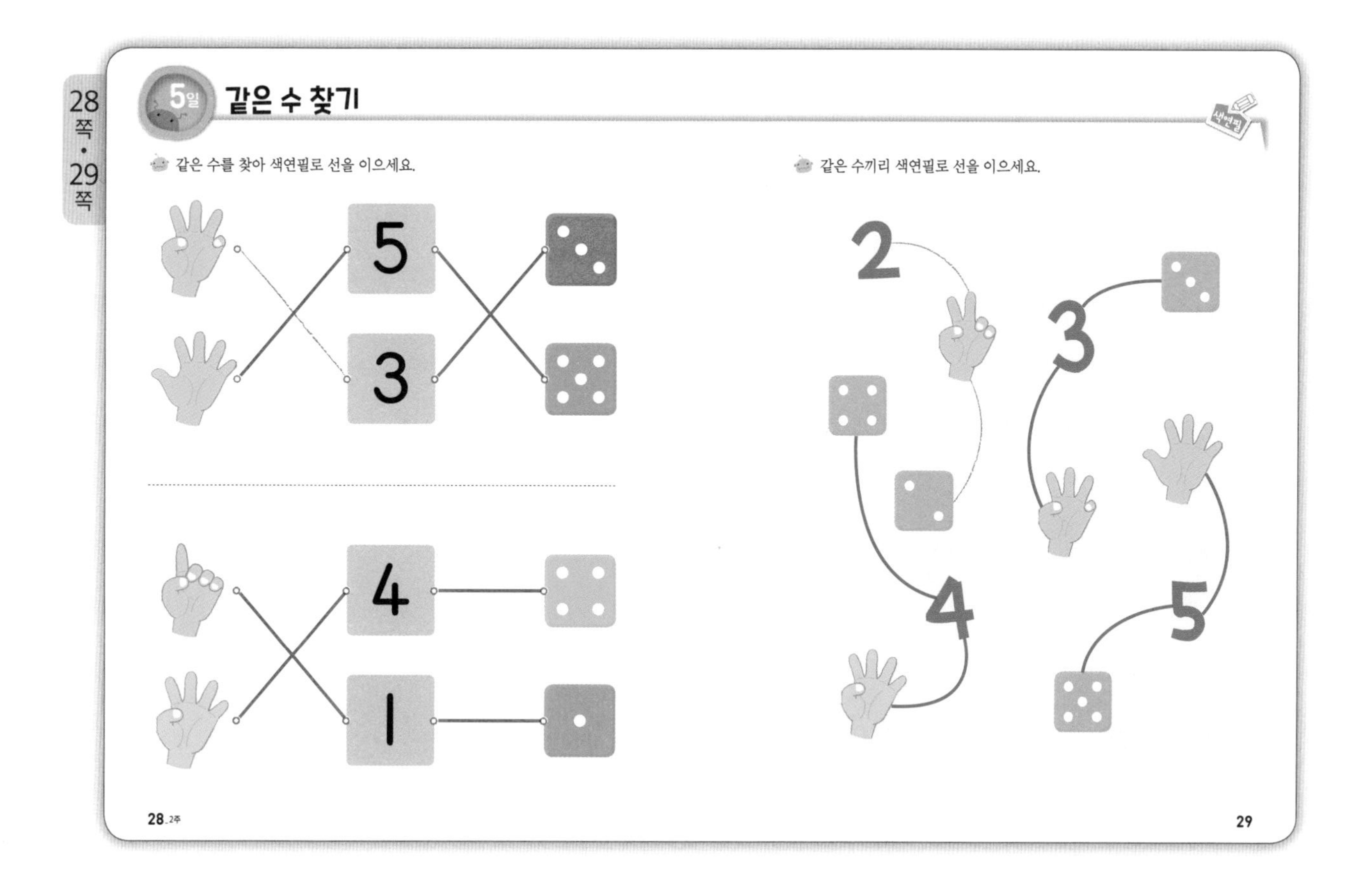
5일 같은 수 찾기
색연필
같은 수를 찾아 색연필로 선을 이으세요.
5
3
4
1
같은 수끼리 색연필로 선을 이으세요.
2
3
4
5
28 2주
29

30쪽

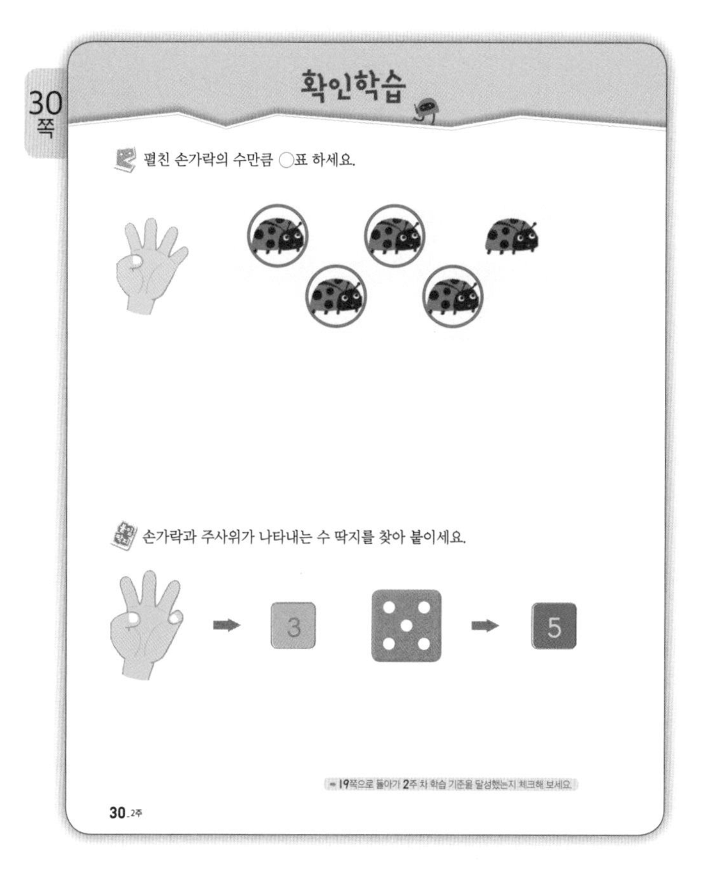
확인학습
펼친 손가락의 수만큼 ◯표 하세요.
손가락과 주사위가 나타내는 수 딱지를 찾아 붙이세요.
3
5
30 2주

2주

정답

3주: 5까지의 수 세기

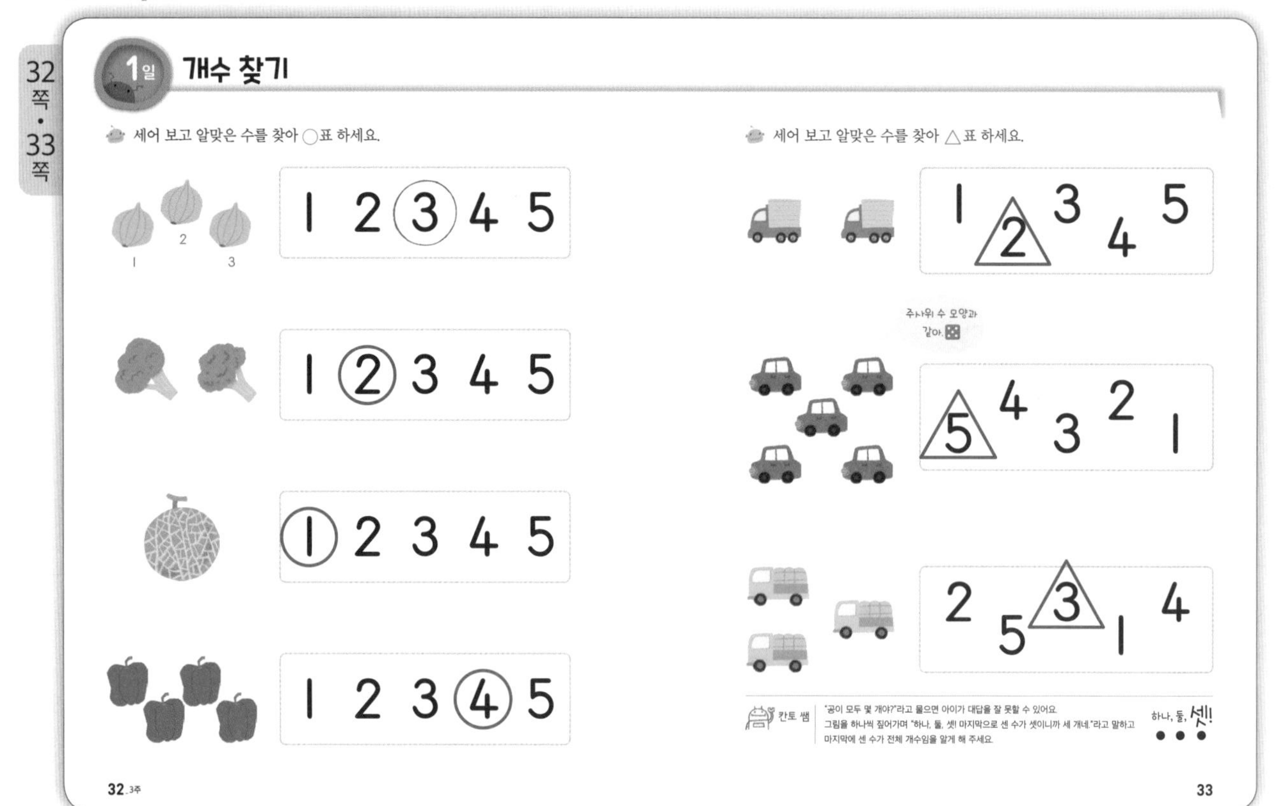

32쪽·33쪽
1일 개수 찾기
세어 보고 알맞은 수를 찾아 ○표 하세요.
1 2 ③ 4 5
1 ② 3 4 5
① 2 3 4 5
1 2 3 ④ 5
세어 보고 알맞은 수를 찾아 △표 하세요.
1 2 3 4 5
주사위 수 모양과 같아.
5 4 3 2 1
2 5 3 1 4
칸토 쌤
"공이 모두 몇 개야?"라고 물으면 아이가 대답을 잘 못할 수 있어요.
그림을 하나씩 짚어가며 "하나, 둘, 셋! 마지막으로 센 수가 셋이니까 세 개네."라고 말하고
마지막에 센 수가 전체 개수임을 알게 해 주세요.
하나, 둘, 셋!
32 3주
33

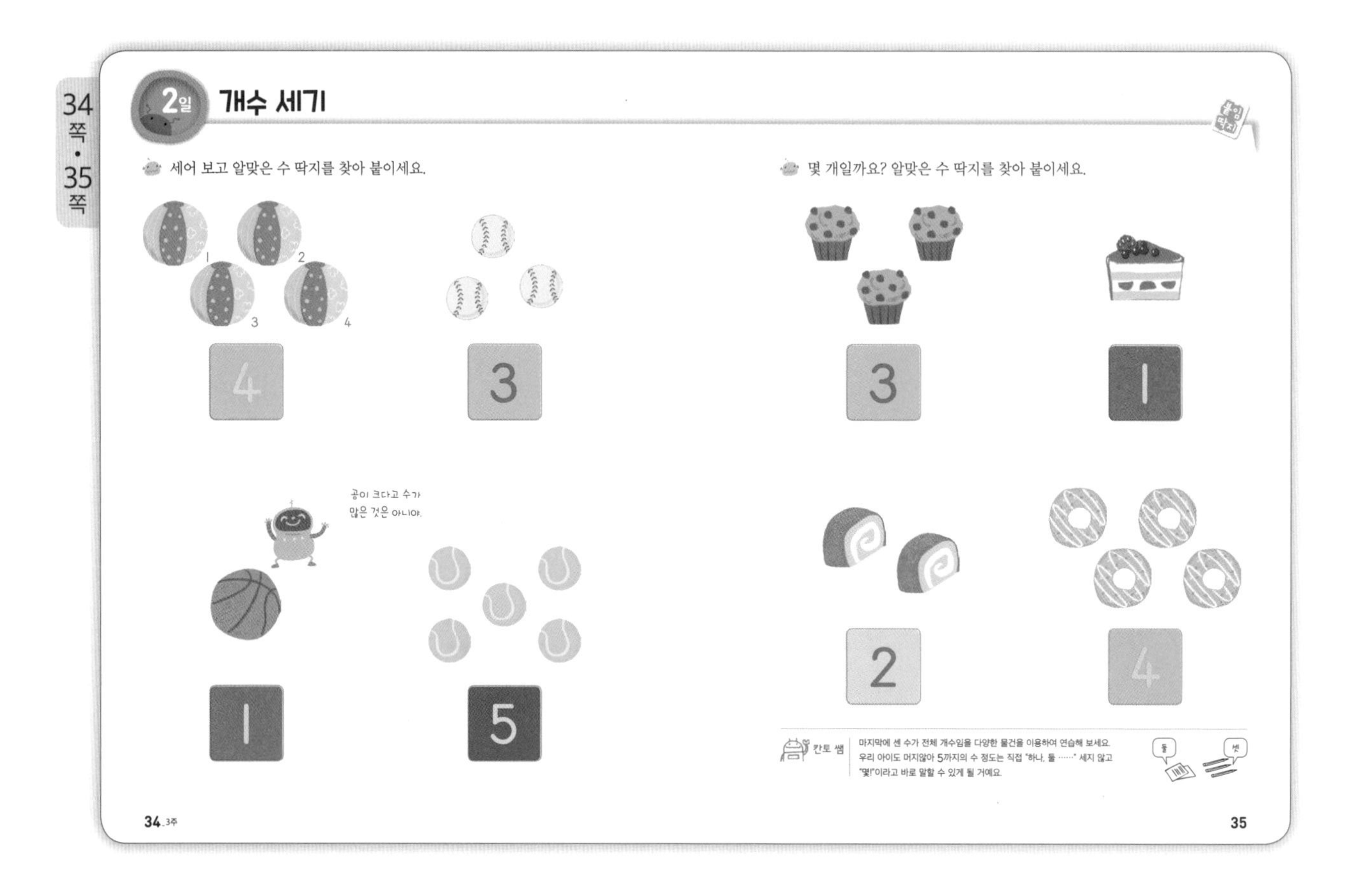

34쪽·35쪽
2일 개수 세기
세어 보고 알맞은 수 딱지를 찾아 붙이세요.
4
3
공이 크다고 수가 많은 것은 아니야.
1
5
몇 개일까요? 알맞은 수 딱지를 찾아 붙이세요.
3
1
2
4
칸토 쌤
마지막에 센 수가 전체 개수임을 다양한 물건을 이용하여 연습해 보세요.
우리 아이도 머지않아 5까지의 수 정도는 직접 "하나, 둘 ……" 세지 않고
"몇!"이라고 바로 말할 수 있게 될 거예요.
둘
셋
34 3주
35

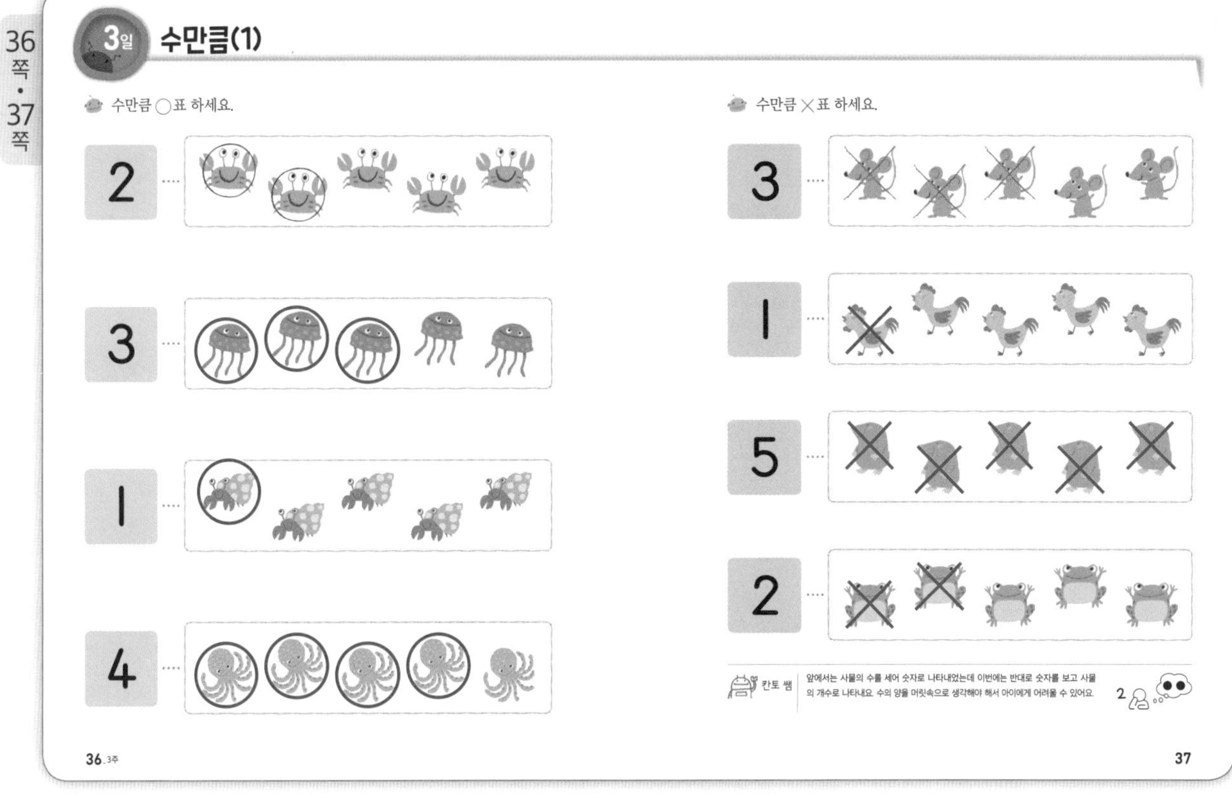
36쪽·37쪽

3일 수만큼(1)

수만큼 ◯표 하세요.

2 ····

3 ····

1 ····

4 ····

수만큼 ╳표 하세요.

3 ····

1 ····

5 ····

2 ····

칸토 쌤 | 앞에서는 사물의 수를 세어 숫자로 나타내었는데 이번에는 반대로 숫자를 보고 사물의 개수로 나타내요. 수의 양을 머릿속으로 생각해야 해서 아이에게 어려울 수 있어요.

36 3주

37

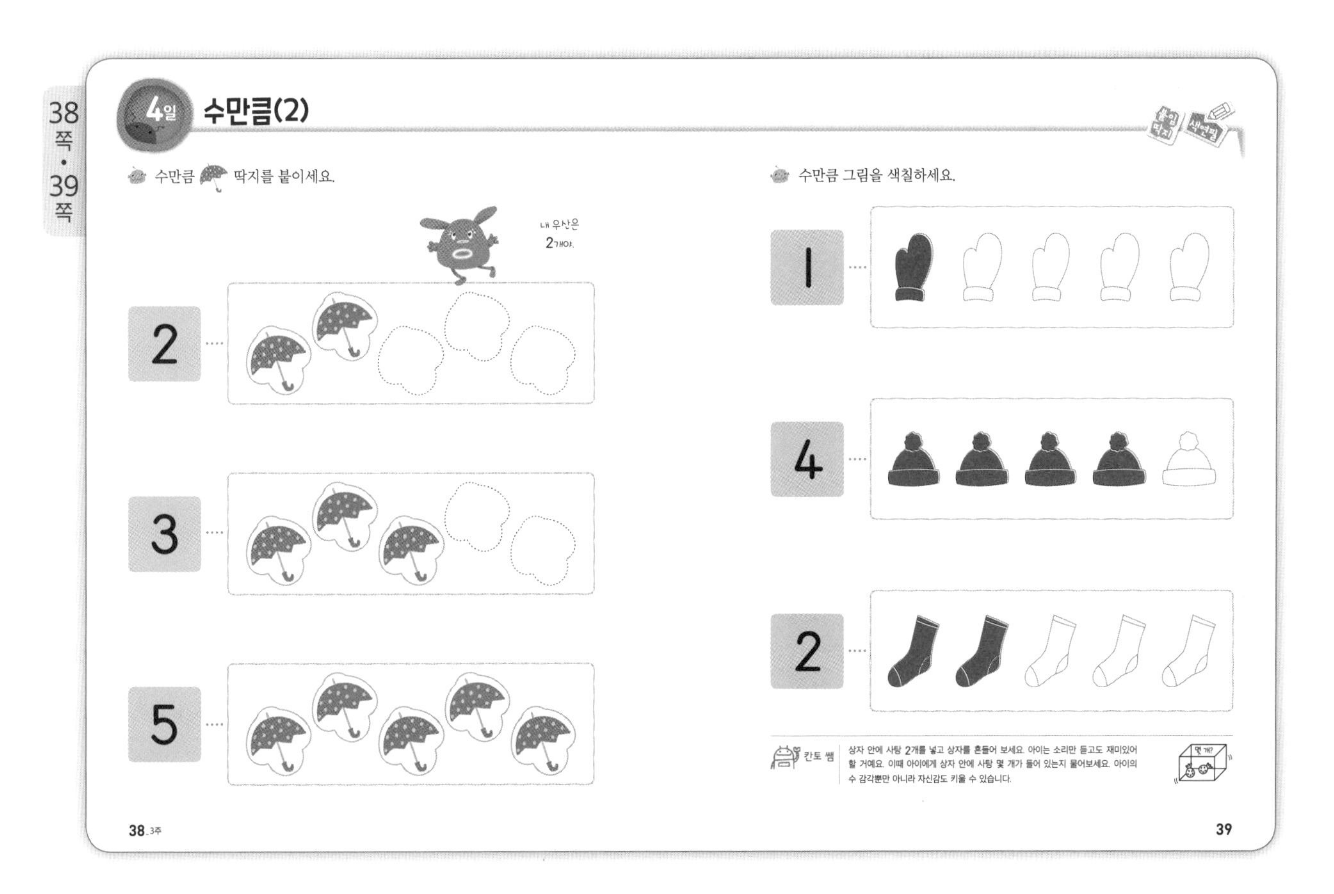
38쪽·39쪽

4일 수만큼(2)

수만큼 딱지를 붙이세요.

내 우산은 2개야.

2 ····

3 ····

5 ····

수만큼 그림을 색칠하세요.

1 ····

4 ····

2 ····

칸토 쌤 | 상자 안에 사탕 2개를 넣고 상자를 흔들어 보세요. 아이는 소리만 듣고도 재미있어 할 거예요. 이때 아이에게 상자 안에 사탕 몇 개가 들어 있는지 물어보세요. 아이의 수 감각뿐만 아니라 자신감도 키울 수 있습니다.

38 3주

39

40쪽 · 41쪽

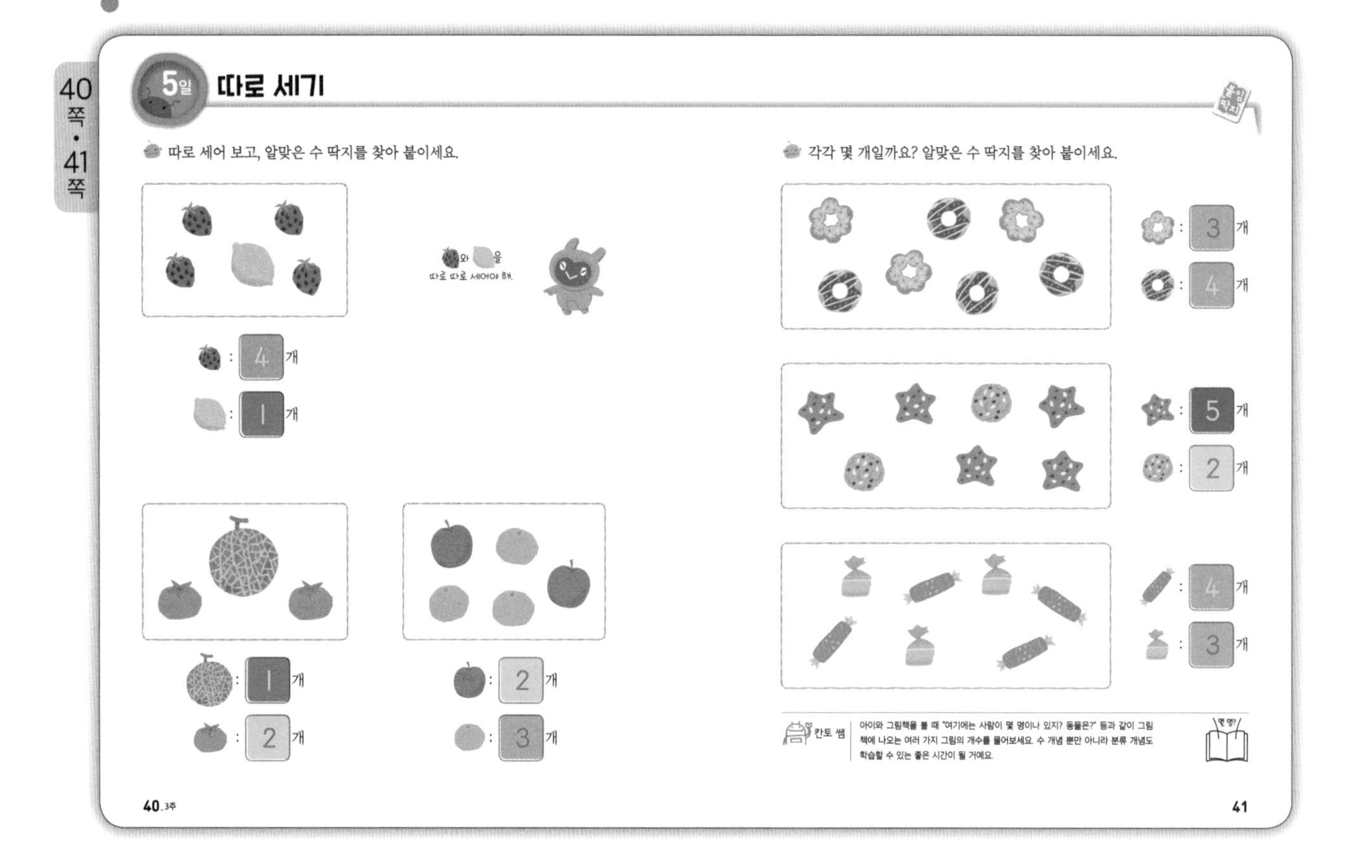

42쪽

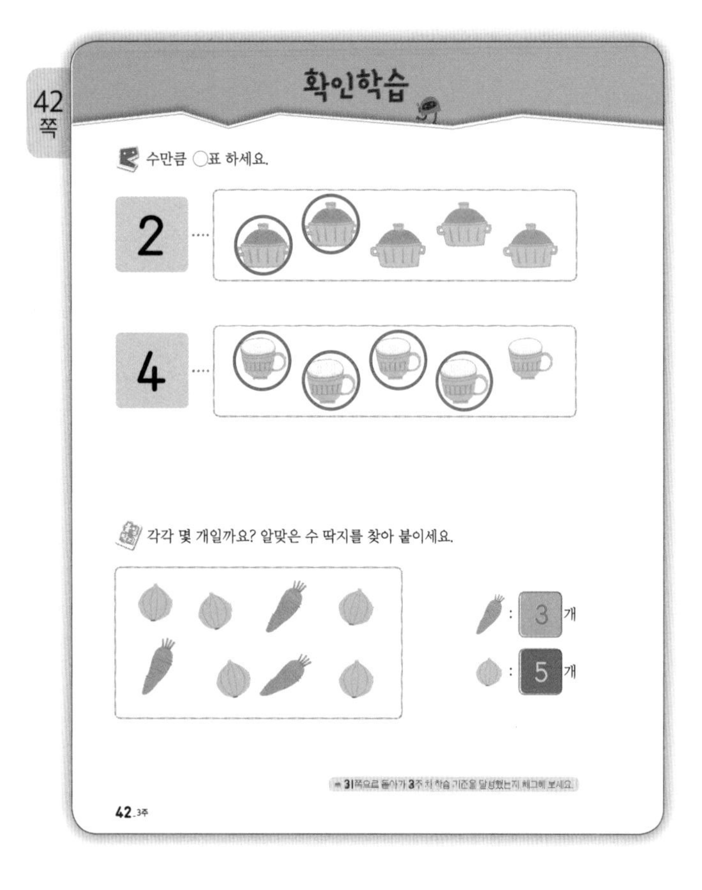

확인학습
수만큼 ○표 하세요.
2
4
각각 몇 개일까요? 알맞은 수 딱지를 찾아 붙이세요.
: 3 개
: 5 개
42 3주

3주

4주: 하나 더 많고 적게

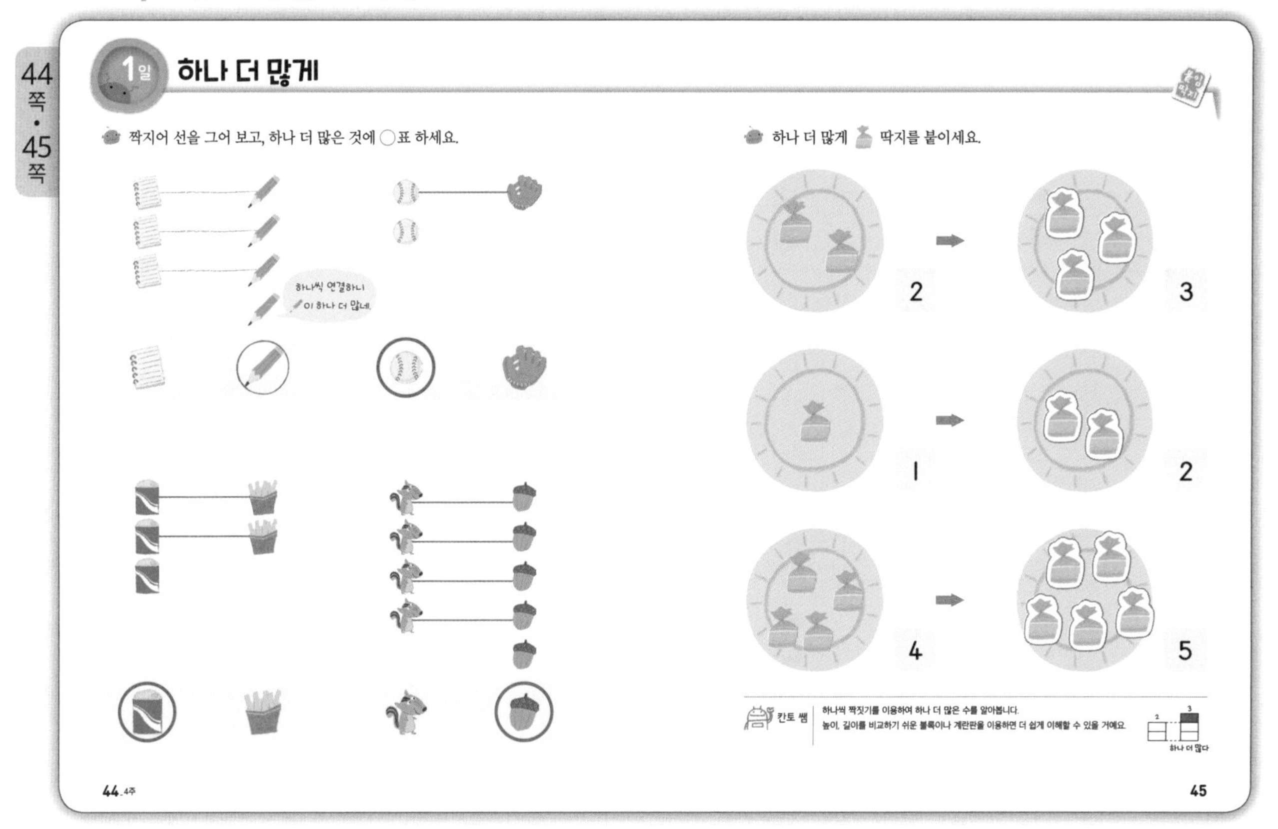
44쪽 · 45쪽
1일 하나 더 많게
짝지어 선을 그어 보고, 하나 더 많은 것에 ◯표 하세요.
하나씩 연결하니 이 하나 더 많네.
하나 더 많게 딱지를 붙이세요.
2
3
1
2
4
5
칸토 쌤
하나씩 짝짓기를 이용하여 하나 더 많은 수를 알아봅니다.
높이, 길이를 비교하기 쉬운 블록이나 계란판을 이용하면 더 쉽게 이해할 수 있을 거예요.
하나 더 많다
44_4주
45

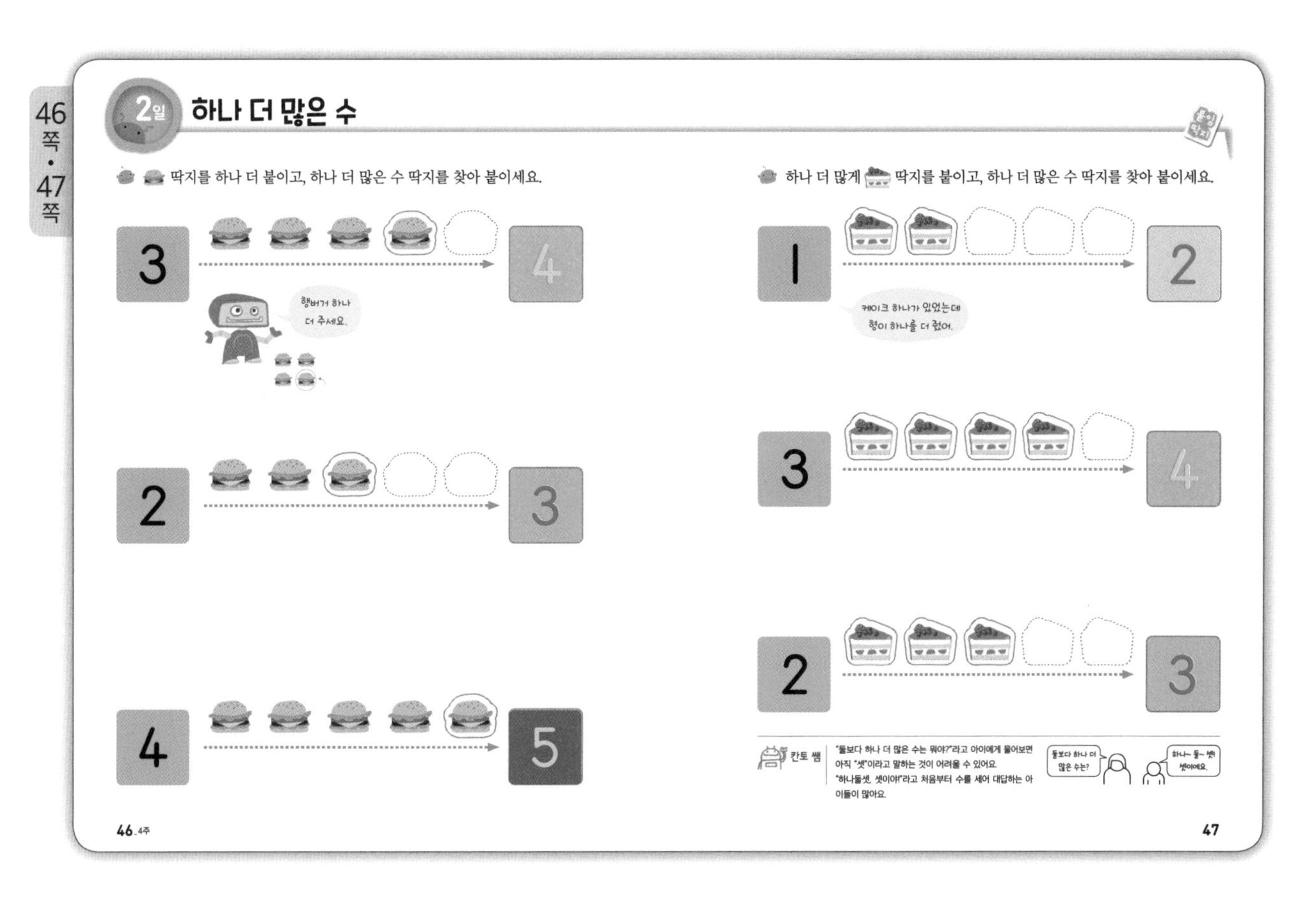
46쪽 · 47쪽
2일 하나 더 많은 수
딱지를 하나 더 붙이고, 하나 더 많은 수 딱지를 찾아 붙이세요.
3
4
햄버거 하나 더 주세요.
2
3
4
5
하나 더 많게 딱지를 붙이고, 하나 더 많은 수 딱지를 찾아 붙이세요.
1
2
케이크 하나가 있었는데 형이 하나를 더 줬어.
3
4
2
3
칸토 쌤
"둘보다 하나 더 많은 수는 뭐야?"라고 아이에게 물어보면 아직 "셋"이라고 말하는 것이 어려울 수 있어요.
"하나둘셋, 셋이야!"라고 처음부터 수를 세어 대답하는 아이들이 많아요.
둘보다 하나 더 많은 수는?
하나~ 둘~ 셋! 셋이에요.
46_4주
47

정답

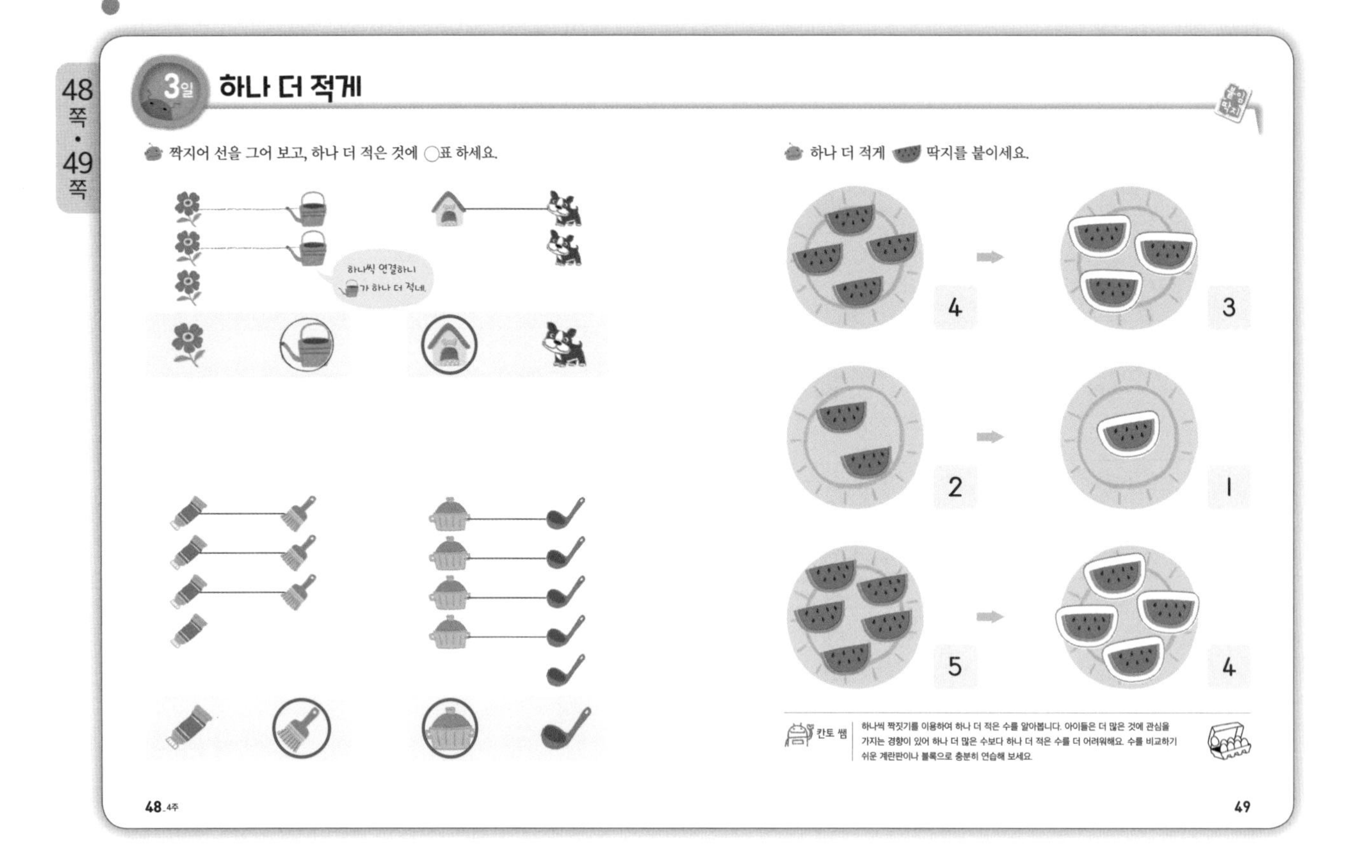
48쪽 · 49쪽
3일 하나 더 적게
짝지어 선을 그어 보고, 하나 더 적은 것에 ○표 하세요.
하나씩 연결하니 가 하나 더 적네.
하나 더 적게 딱지를 붙이세요.
4
3
2
1
5
4
칸토 쌤
하나씩 짝짓기를 이용하여 하나 더 적은 수를 알아봅니다. 아이들은 더 많은 것에 관심을 가지는 경향이 있어 하나 더 많은 수보다 하나 더 적은 수를 더 어려워해요. 수를 비교하기 쉬운 계란판이나 블록으로 충분히 연습해 보세요.
48 4주
49

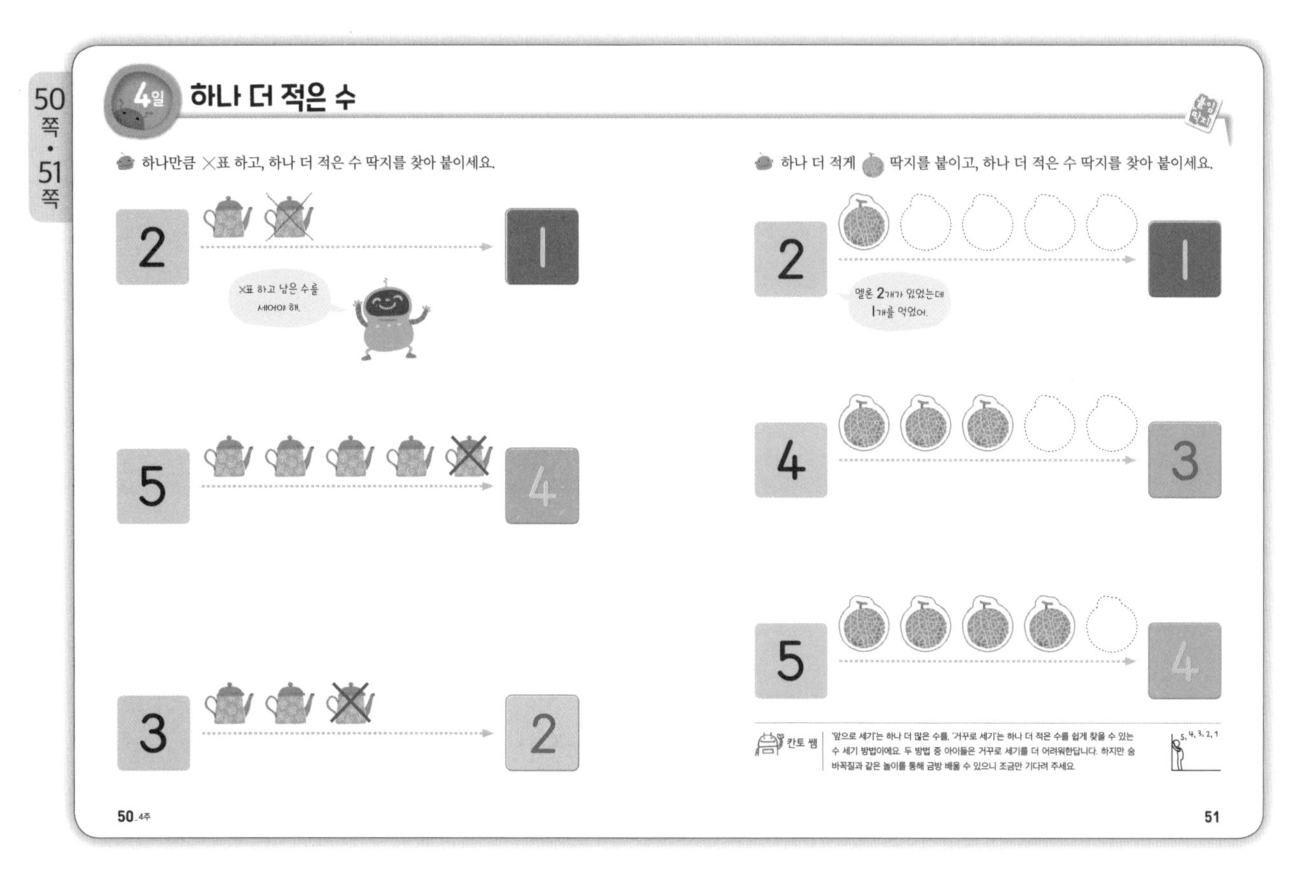
50쪽 · 51쪽
4일 하나 더 적은 수
하나만큼 ╳표 하고, 하나 더 적은 수 딱지를 찾아 붙이세요.
2
1
╳표 하고 남은 수를 세어야 해.
5
4
3
2
하나 더 적게 딱지를 붙이고, 하나 더 적은 수 딱지를 찾아 붙이세요.
2
1
멜론 2개가 있었는데 1개를 먹었어.
4
3
5
4
칸토 쌤
'앞으로 세기'는 하나 더 많은 수를, '거꾸로 세기'는 하나 더 적은 수를 쉽게 찾을 수 있는 수 세기 방법이에요. 두 방법 중 아이들은 거꾸로 세기를 더 어려워한답니다. 하지만 숨바꼭질과 같은 놀이를 통해 금방 배울 수 있으니 조금만 기다려 주세요.
5, 4, 3, 2, 1
50 4주
51

52쪽 · 53쪽

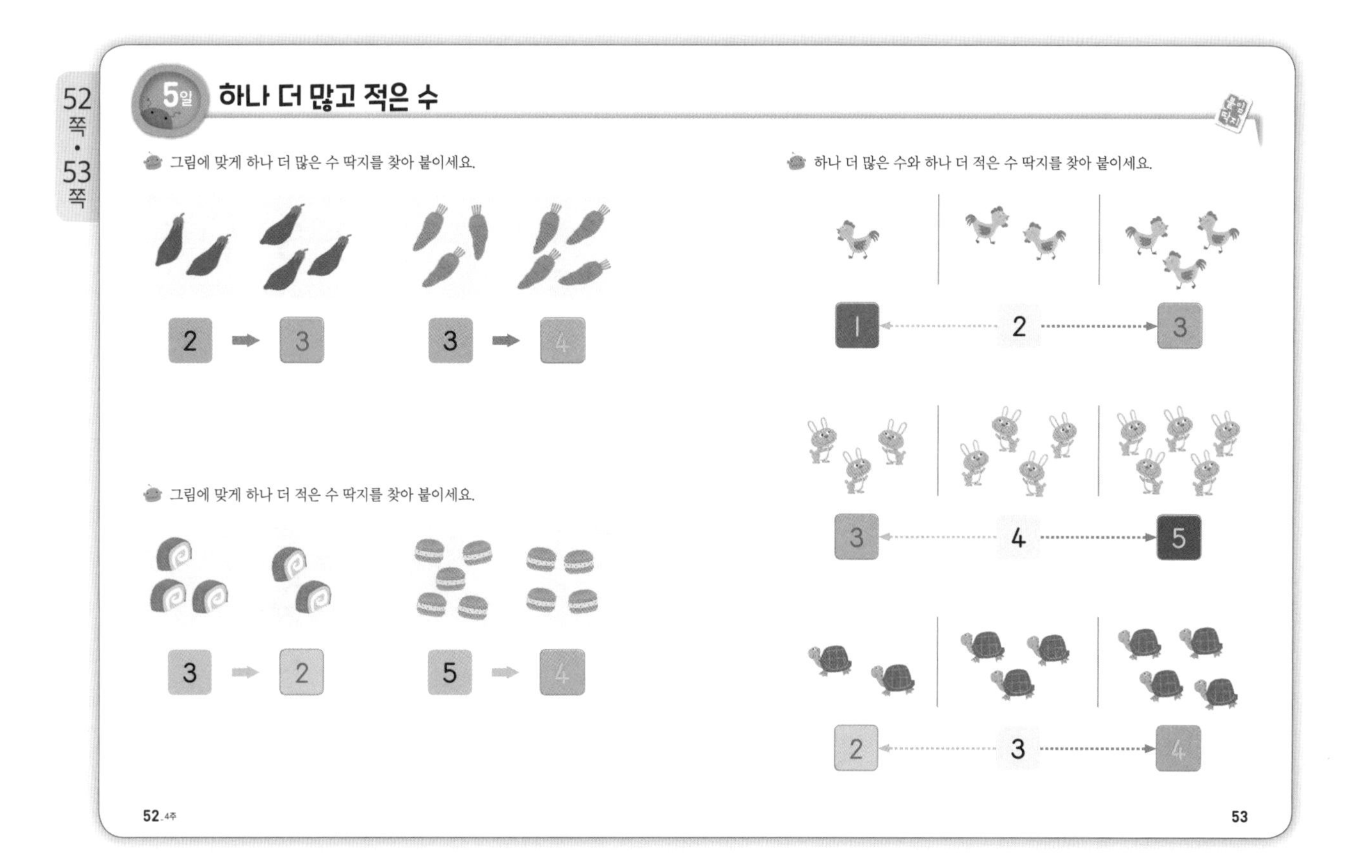

5일 하나 더 많고 적은 수
그림에 맞게 하나 더 많은 수 딱지를 찾아 붙이세요.
2 3
3 4
그림에 맞게 하나 더 적은 수 딱지를 찾아 붙이세요.
3 2
5 4
하나 더 많은 수와 하나 더 적은 수 딱지를 찾아 붙이세요.
1 2 3
3 4 5
2 3 4
52 4주
53

54쪽 · 55쪽

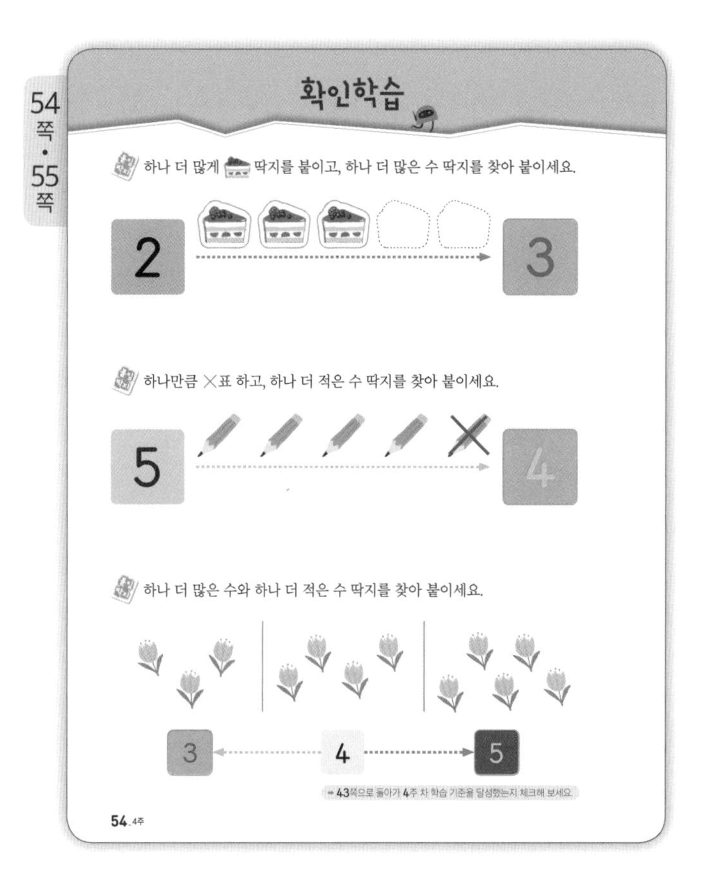

확인학습
하나 더 많게 딱지를 붙이고, 하나 더 많은 수 딱지를 찾아 붙이세요.
2 3
하나만큼 ×표 하고, 하나 더 적은 수 딱지를 찾아 붙이세요.
5 4
하나 더 많은 수와 하나 더 적은 수 딱지를 찾아 붙이세요.
3 4 5
54 4주

마무리 평가

56쪽 · 57쪽

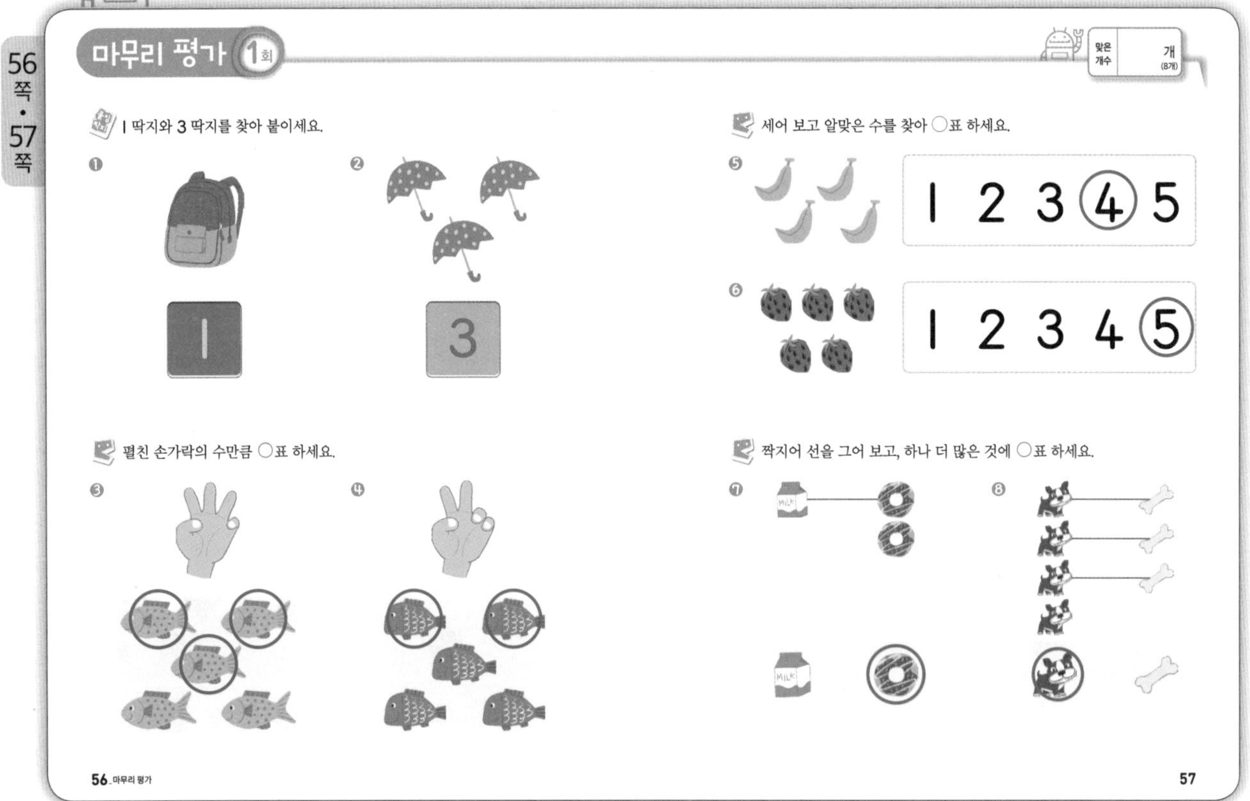

마무리 평가 1회
맞은 개수 개 (8개)
1 딱지와 3 딱지를 찾아 붙이세요.
1
3
세어 보고 알맞은 수를 찾아 ○표 하세요.
1 2 3 4 5
1 2 3 4 5
펼친 손가락의 수만큼 ○표 하세요.
짝지어 선을 그어 보고, 하나 더 많은 것에 ○표 하세요.
56 마무리 평가
57

58쪽 · 59쪽

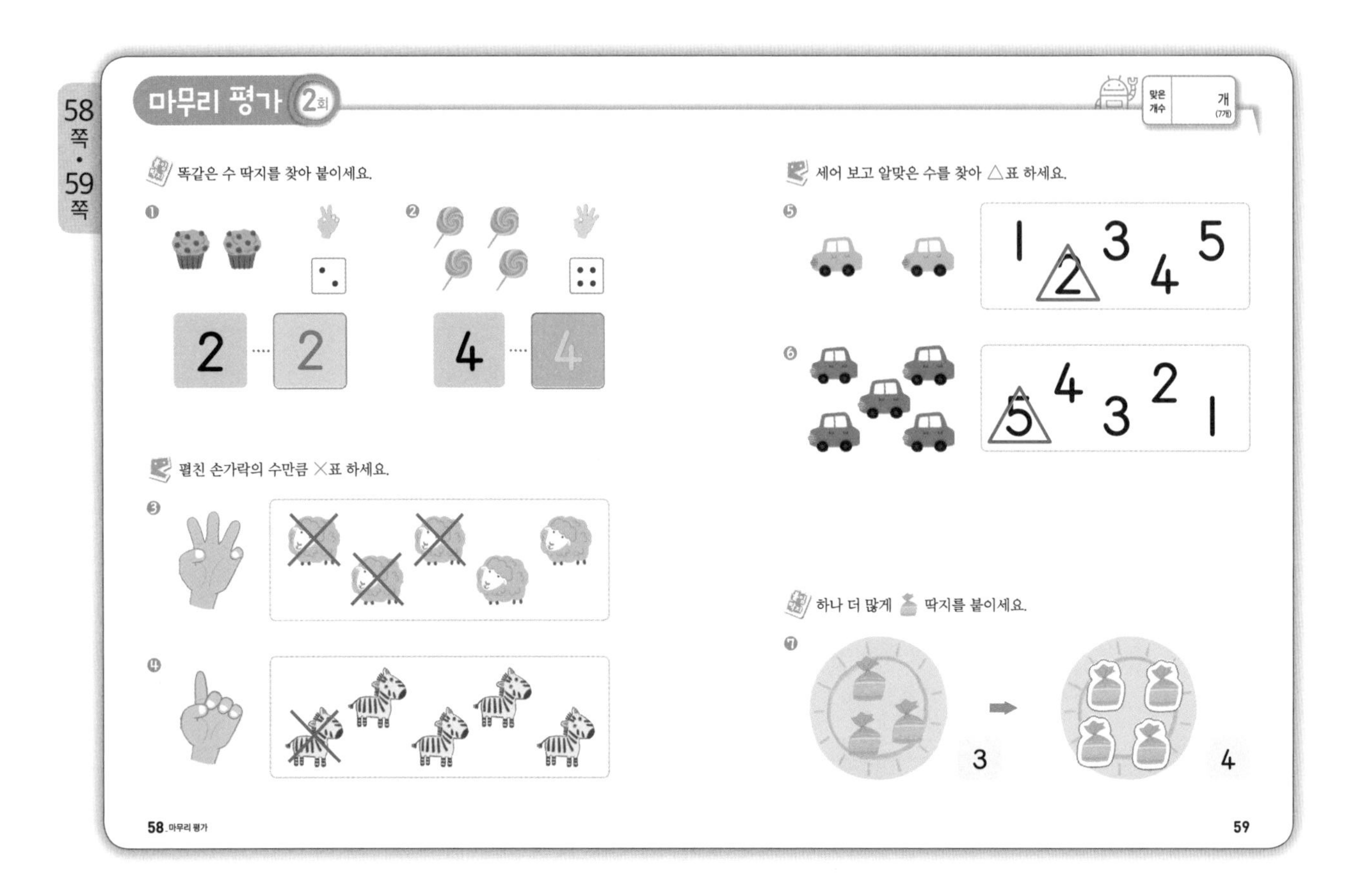

마무리 평가 2회
맞은 개수 개 (7개)
똑같은 수 딱지를 찾아 붙이세요.
2 2
4 4
세어 보고 알맞은 수를 찾아 △표 하세요.
1 2 3 4 5
5 4 3 2 1
펼친 손가락의 수만큼 ×표 하세요.
하나 더 많게 딱지를 붙이세요.
3
4
58 마무리 평가
59

60쪽·61쪽

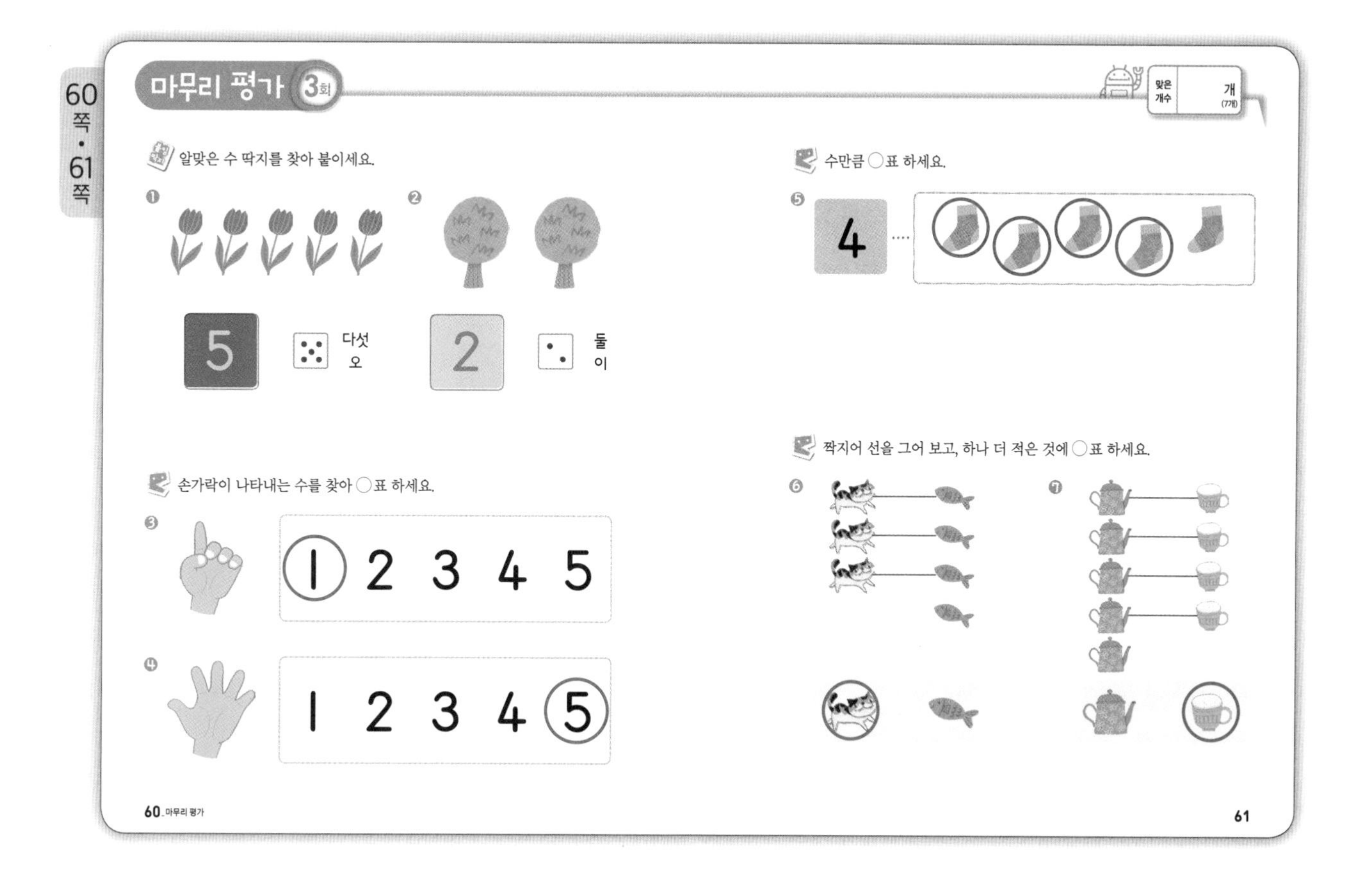

62쪽·63쪽

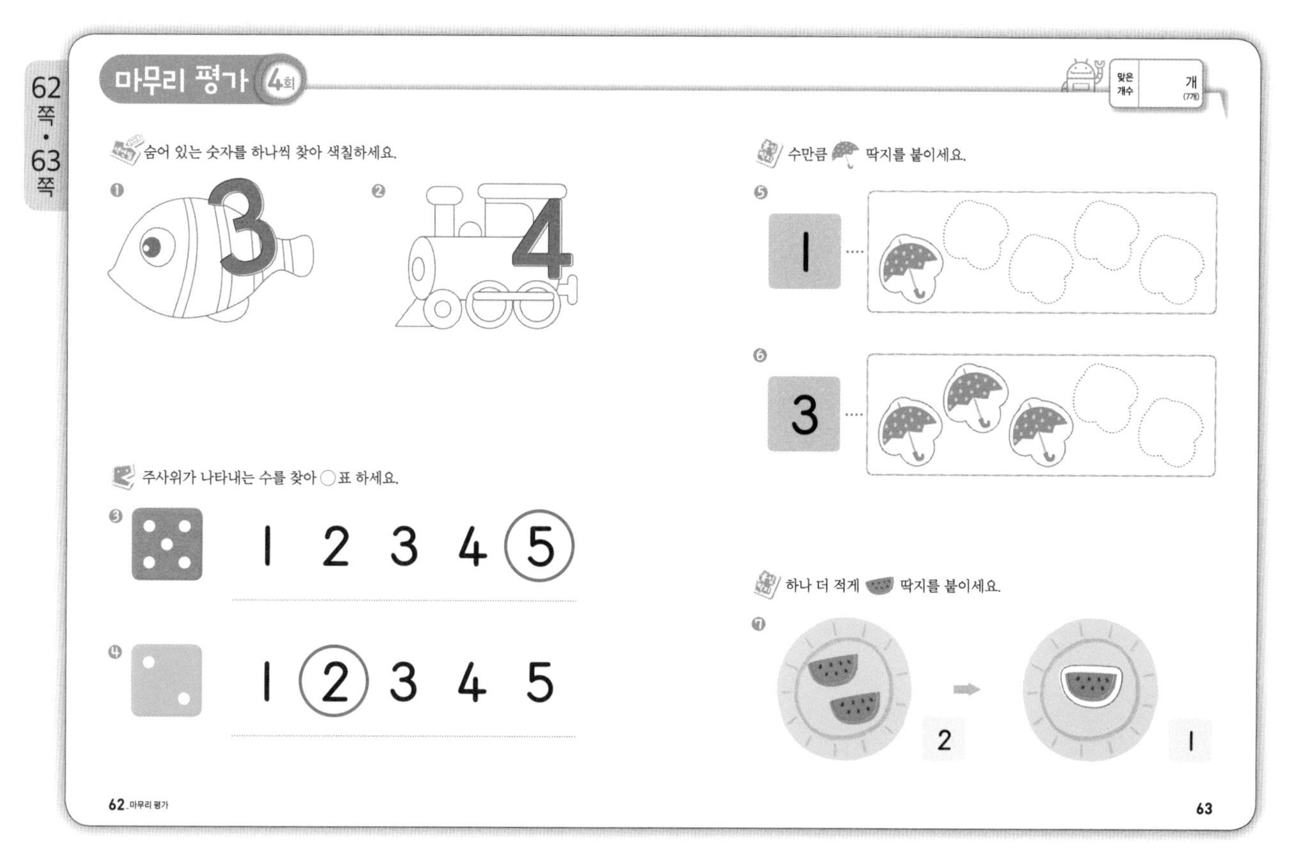

64쪽 · 65쪽

마무리 평가 5회

맞은 개수 개 (7개)

알맞은 수 딱지를 찾아 붙이세요.

❶ 1 하나 일

❷ 5 다섯 오

손가락이 나타내는 수를 찾아 ◯표 하세요.

❸ 1 2 3 (4) 5

❹ 1 2 (3) 4 5

따로 세어 보고 알맞은 수 딱지를 찾아 붙이세요.

❺ : 1 개
: 3 개

❻ : 4 개
: 2 개

하나만큼 ╳표 하고, 하나 더 적은 수 딱지를 찾아 붙이세요.

❼ 5 → 4